Tair ar Ddeg

Cardiff Libraries
www.cardiff.gov.uk/libraries
Llyfrgelloedd Caerdydd
www.caerdydd.gov.uk/llyfrgelloedd
CARDIFF
CAERDYDD

D0452527

TAIR AR DDEG
ISBN 978-1-904357-23-0

Rily Publications Ltd
Blwch Post 20
Hengoed
CF82 7YR

Cyhoeddwyd am y tro cyntaf gan Orchard Books yn 2005

Cyhoeddwyd yn wreiddiol yn Saesneg fel *Thirteen*

Addasiad gan Bethan Mair ac Eiry Miles

Noddwyd gan Lywodraeth Cynulliad Cymru

Cysodwyd gan Wasg Dinefwr, Llandybïe, Sir Gaerfyrddin

www.rily.co.uk

Argraffwyd a rhwymwyd yn y Deyrnas Unedig
gan CPI Cox & Wyman Ltd, Reading, Berkshire.

Tair ar ddeg o straeon gafalgar.
Tair ar ddeg o sefyllfaoedd credadwy.

Golygwyd gan

John McLay

Addasiad gan

Bethan Mair ac Eiry Miles

Tynged y Morlo

gan Eoin Colfer

Addasiad gan Eiry Miles

Tynged y Morlo

Drwy ei lygaid duon, crwn, edrychodd y morlo ifanc ar Bobby Parish. Pert iawn, os oeddech chi'n hoffi'r math yna o beth. Os oeddech chi'n ferch a phosteri o blant bach o Ffrainc gyda llygaid trist dros waliau'ch ystafell wely. Doedd bechgyn ddim yn hoffi pethau pert. Roedd bechgyn yn dal pysgod a'u diberfeddu, a rhoi'r perfedd i wylanod llwglyd. Roedd bechgyn yn lladd pethau, gan mai dyna sut roedd bywyd, a byddai'n well ichi fod yn barod amdano ar ôl gadael yr ysgol. Gwyddai Bobby, pan fyddai drysau Ysgol Sant Brendan yn cau y tu ôl iddo am y tro olaf, y byddai'n tynnu ei wisg ysgol oddi amdano, yn gwisgo dillad oel, ac yn cymryd ei le ar y *Lady Irene*.

Er hynny, roedd y morlo'n bert. Gallai Bobby gyfaddef hynny wrtho'i hun, cyhyd â bod neb arall o gwmpas. Gofalodd ei fod yn meddwl hynny'n dawel iddo'i hun, rhag ofn bod un o'i ffrindiau'n delepathig. Gwelodd drwyn smwt yr anifail yn crynu, a brychni haul yn ymledu dros ei gefn fel mwng. Pert. Ond fel y dywedodd ei dad, fermin oedd e.

Ymlusgodd Bobby ychydig droedfeddi'n nes ato, gan geisio peidio â dychryn y morlo. Teimlodd greigiau calchfaen yn ymwthio yn erbyn ei fol, a llysnafedd y pyllau glan môr yn trochi ei jîns. Doedd dim ots. Roedd yn rhaid i weithiwr fedru anwybyddu pethau anghyfforddus fel hyn, er mwyn gwneud ei waith yn iawn.

Roedd y morlo'n ei wylio'n dawel. Doedd dim ofn arno. I'r gwrthwyneb, roedd y morlo'n falch o gael tipyn o gwmni. Plygodd ei gefn fel bwa, gan daro ei esgyll ar y graig lithrig. Trawodd Bobby'r creigiau hefyd â'i ddwylo, er mwyn ceisio cynnal sgwrs o ryw fath. Gweithiodd hynny'n dda. Ymestynnodd y morlo ei ben bychan ymlaen, gyda thri chyfarthiad byr.

Rydyn ni'n ffrindiau nawr, meddyliodd Bobby. Mêts. Mae'r morlo 'ma'n credu, siŵr o fod, ein bod ni am dreulio'r haf gyda'n gilydd, yn nofio o gwmpas y bae, yn ymladd troseddwyr.

Wel, 'rhen ffrind, mae'n ddrwg gen i dy siomi di, ond fydd dy ddyfodol di ddim mor hapus â hynny.

Estynnodd Bobby ei law y tu ôl iddo, gan lapio'i fysedd o amgylch y tâp ar handlen y pastwn.

Siaradodd Dick Parrish o fwrdd y *Lady Irene.* Ymgasglodd y bobl ifanc o gwmpas waliau'r cei uwchben, gan glustfeinio'n ofalus ar bob gair. Fyddai'r dynion byth yn siarad gyda'r bechgyn i lawr yn y doc. Mae'n rhaid bod hyn yn bwysig.

Meddyliodd Bobby fod ei dad fel person gwahanol pan fyddai wedi'i amgylchynu gan y môr a'r creigiau. Roedd yn anorchfygol, a rhychau'r gwynt wedi'u serio ar ei wyneb. Roedd ganddo ddwylo a allai dagu llysywen.

Wrth iddo gamu'n bellach o'r môr, byddai'n lleihau ac yn gwanhau gyda phob cam, nes iddo gyrraedd adref a syrthio'n swp i'r gadair freichiau, lle byddai'n aros i rywun ddod â'i de iddo.

Ond yma, roedd yn ei elfen, a phob rhan ohono'n ffyrnig.

'Y morloi yw'r broblem, fechgyn. Maen nhw'n blydi pla.'

Galwodd nhw'n fechgyn, er bod Babe Meara yn y criw. Roedd Babe yn ei hystyried ei hun yn fachgen, a phe bai unrhyw un yn awgrymu fel arall, byddai'n well iddo wisgo digon o badin ar ei grimogau.

'Gwelais i dri heddiw,' ebychodd Seanie Ahern. 'Ar bwys y penrhyn.'

'Roedd 'na bedwar!' meddai Seán Ahern, ei efaill, gan gywiro'i frawd. 'Ac roedden nhw yn y bae!'

Gallai'r efeilliaid Ahern ddadlau am liw mwd. Eu henwau go iawn oedd Jesse a Randolph, ond pwy fyddai'n ddigon creulon i'w galw nhw'n hynny? Dim ond rhiant oedd yn dwlu ar ffilmiau cowbois.

Cododd Dick ei ddwylo i ofyn am dawelwch. Roedd ei gledrau brown yn frith o greithiau gwyn y rhaffau a'r gwaldiau. Yn ôl yr ystadegau, pysgota oedd y swydd fwyaf peryglus yn y byd. Yn anffodus, nid creithiau rhaffau oedd yr unig anafiadau a gafodd dau o frodyr Dick.

'Maen nhw ym mhobman,' meddai. 'Y bae, y penrhyn; maen nhw hyd yn oed yn gwthio'u trwynau i mewn i'r doc, yr hen ddiawled ewn. Maen nhw'n bla dros y penrhyn i gyd eleni. Mae bachan rwy'n ei nabod o Ross yn credu bod y morloi'n pesgi ar yr holl garthion sy'n cael eu pwmpio o'r ffatrïoedd.'

Chwarddodd yr efeilliaid a phwnio'i gilydd wrth iddyn nhw sylweddoli beth roedd hynny'n ei olygu.

'Fyddai dim ots gen i am hynny, pe baen nhw'n bwyta dim ond y gwastraff, ond mae'r morloi hynny'n bwyta ein pysgod ni hefyd, ac yn rhwygo'r rhwydi'n rhacs.'

Gwyddai pawb beth roedd hynny'n ei olygu. Roedd tyllau yn y rhwydi'n golygu y byddai'n rhaid ichi fod wrthi am oriau gyda'r nos, yn eu trwsio'n ôl at ei gilydd, a'r cortyn miniog yn cerfio rhychau ar eich dwylo.

'Mae pethau'n ddigon drwg eleni fel mae hi, heb inni orfod ymdopi â'r fermin hyn hefyd. Does dim mecryll wedi bod yma drwy'r haf, ac mae'r crancod naill ai'n fwy clyfar neu'n fwy prin.'

Nodiodd y dynion, gan fwmial yn gytûn wrth rolio'u sigaréts. Roedd dyddiau du o'u blaenau, heb os. Roedd y môr ger Duncade bron yn wag, diolch i longau pysgota'r ffatrïoedd a chychod Sbaen oedd yn sleifio i ddyfroedd Iwerddon. Mecryll oedd cynhaliaeth y de-ddwyrain, ond prin bod digon o bysgod i'w defnyddio fel abwyd erbyn hyn. Doedd neb wedi gweld môr arian ers blynyddoedd, sef cyfnod pan fyddai heigiau anferthol o sbrats – hoff fwyd y mecryll – yn nofio ar hyd yr arfordir ac yn galw heibio'r doc yn aml. Pan ddigwyddai hynny, byddai'n rhaid i bob dyn, menyw a phlentyn ddod i'r adwy ar unwaith, i ollwng bwcedi a basgedi o bob math i mewn i'r môr, i ddal y pysgod glas ariannaidd wrth iddynt hela'r sbrats yn awchus.

'Felly, dyma sut y bydd hi,' meddai Dick Parrish. 'Rydyn ni'n mynd i ymladd yn ôl. O heddiw ymlaen, bydd gwobr am bob morlo.'

Teimlodd Bobby wefr drydanol yn neidio o'r naill blentyn i'r llall. Roedd gwobr yn golygu arian, a does dim ffordd well o gynhyrfu pobl ifanc nag addewid o arian.

'Bydd unrhyw un a fydd yn dod ag asgell morlo imi yn cael papur pumpunt newydd sbon gen i.'

Papur pumunt, meddyliodd Bobby. Dyna gyflog diwrnod o waith fferm. Yna meddyliodd am rywbeth arall.

'Asgell morlo?' meddai. 'Ond mae hynny'n golygu y byddai'n rhaid ichi ei...'

'Ei ladd e, 'machgen i,' meddai ei dad yn ddideimlad. 'Ei ladd e'n gelain gyda cherrig neu bastynau. Does dim ots gen i. Llygod mawr ydyn nhw, ac fe gewn ni wared arnyn nhw!'

Roedd pawb arall yn cytuno â Dick, a'r awch am waed a chyfoeth yn cyflymu eu calonnau. Hanner can mlynedd yn ôl, roedd gwobrau am forloi'n ddigon cyffredin. Bu rhieni a chyndeidiau pawb yn chwilio drwy'r creigiau am geiniog neu ddwy'n ychwanegol. Ond doedd neb wedi cynnig gwobr ers blynyddoedd. Roedd e'n anghyfreithlon, fwy na thebyg.

'Hoffwn ichi ddod o hyd i'r llygod mawr 'na, ble bynnag y byddan nhw'n bolaheulo. Yr haf hwn, byddwch chi'n aros amdanyn nhw, pryd bynnag y byddan nhw'n codi eu pennau bach disglair uwchben y tonnau. Yn aros, gyda rhywbeth trwm i'w bwrw nhw. Ydych chi'n fy nghlywed i?'

Nodiodd y bechgyn, gan geisio ymddangos yn ddidaro o flaen y pysgotwyr. Fyddai pysgotwr go iawn ddim yn cynhyrfu. Hyd yn oed pe bai Moby Dick yn chwalu blaen ei long, byddai pysgotwr go iawn yn cymryd arno nad oedd wedi sylwi, ac yn poeri dros y gynwalau.

'Mae pawb yn gwybod i ba lefydd y mae'r morloi'n mynd. Denwch nhw i mewn gyda slabyn o benfras, cyn rhoi rêl crasfa iddyn nhw gyda'r pastwn. Ond cymerwch ofal, achos gall morlo gwryw gnoi lwmp mawr o'ch coes chi gyda'i ddannedd. Neu'n waeth byth, gall e dorri eich esgyrn chi gyda thrawiad ei gynffon.'

Teimlodd Bobby ei galon yn ehangu yn ei frest gan obeithio na fyddai ei sŵn yn dirgrynu drwy ei siaced. Ond doedd e ddim yn barod ar gyfer yr holl siarad yma am ladd a thorri esgyrn. Roedd yn rhy fuan. Tair ar ddeg mlwydd oed. Yn rhy ifanc i smygu, ond yn ddigon hen i ladd morlo. Edrychodd Bobby ar ei gyfeillion – Paudie, yr efeilliaid a Babe Meara. Roedd eu llygaid ynghynn. Ceisiodd ddynwared eu brwdfrydedd, er mwyn ei dad.

Ei dad, yn sefyll yno yn teyrnasu dros y doc i gyd. Sylweddolodd Bobby fod Dick Parrish yn arweinydd i'r holl ddynion hyn. Roedden nhw'n aros iddo ddangos y ffordd iddyn nhw. A hithau'n flwyddyn eithriadol o anodd, byddai'n rhaid i Dick Parrish ddod o hyd i ateb i'r broblem, doed a ddêl. Sylweddolodd ei dad ei fod yn edrych arno, a winciodd ar Bobby.

Ceisia fod yn gyntaf, meddai'r winc honno. Y cyntaf ar y lanfa gydag asgell morlo.

Winciodd Bobby yn ôl arno, gan wenu'n hapus. Ond roedd yn wên ffug, arwynebol, wedi'i glynu fel sticer dros ei deimladau go iawn. Doedd e ddim eisiau lladd morlo. Doedd e ddim yn gwybod a allai wneud hynny ai peidio.

Roedd llygaid duon y morlo yn grwn, yn ddwfn ac yn hypnotig, fel pe baent yn gwybod pethau na allech chi fyth mo'u gwybod. Beth wyt ti wedi'i weld? meddyliodd Bobby. Agendor mawr y moroedd? Creaduriaid tentaclog sy'n llyncu llongau? Gwaed dy deulu wedi'i dywallt dros y creigiau gwastad, yn dylifo i donnau'r môr?

'Rho'r gorau iddi,' ysgyrnygodd ar y morlo. 'Dw i'n gwybod beth rwyt ti'n ei wneud. Ceisio gwneud dy hun yn real i mi. Ond wnaiff hynny ddim gweithio. Rwyt ti'n fermin. Dim byd mwy. Dyna mae Dad yn ei ddweud, a phwy ydw i'n mynd i'w gredu? Ti, sef morlo nad ydw i erioed wedi'i weld, neu fy nhad fy hun?'

Cydiodd Bobby yn y pastwn. Roedd yn drysor teuluol. Bu tad-cu Bobby'n ei ddefnyddio i bastynu pob math o bethau yn ystod ail hanner y ganrif ddiwethaf. Cyflwynodd

Tad-cu y crair erchyll i Bobby pan glywodd am yr helfa forloi.

'Fi gerfiodd hwn o lwmp o eboni wnaeth gwympo oddi ar hen long o Affrica. Efallai ei fod e'n hen ond, myn diawl i, taset ti'n bwrw unrhyw beth byw gyda hwn, wel dyna'r diwedd. Edrycha ar hwn fan hyn...'

Drwy ddefnyddio'i fys oedd wedi'i staenio'n frown gan nicotîn, pwyntiodd Tad-cu at olion tolc ar y pastwn. 'Ôl siarc yw hwnna. Cafodd e 'i ddal yn y rhwydi unwaith. Tynnais i un o'i lygaid mas, a hanner ei ymennydd, gydag un trawiad. Ond roedd e'n dal yn fyw.' Roedd Tad-cu wedi ymgolli yn yr atgof, yn syllu allan ar y môr. Yn edrych ar bethau y gallai ef yn unig eu gweld. 'Mae e mas fan'na nawr. Yn hanner dall ac yn hanner pan. Yn aros imi feiddio rhoi hyd yn oed bawd fy nhroed yn y dŵr.' Rhoddodd y pastwn i Bobby. 'Ti sydd biau hwn nawr, 'machgen i. Tynna fe'n ôl yn iawn, a dilyn drwodd. O, a gwisga hen ddillad. Pan fydd perfedd morlo'n cael eu chwalu, maen nhw'n ffrwydro dros bob man.'

Llithrodd Bobby ei fys dros garn y pastwn. Roedd stribyn o groen wedi'i glymu dros chwe modfedd ohono. Honnai Tad-cu iddo'i dynnu oddi ar rinoseros a redodd i mewn i'w jîp pan oedd e ar saffari, a tharo'i hun yn anymwybodol. Roedd y rhinoseros yn fyw o hyd yn Affrica, yn aros i Tad-cu roi hyd yn oed bawd ei droed ar dir Kenya... Roedd y stribyn yn teimlo fel linoliwm i Bobby.

Safodd y bachgen a chymryd cam yn nes. Roedd pob cam a gymerai yn mynd ag e'n nes at y rhan nesaf o'i fywyd. Doedd ei ffrindiau ddim yn gallu aros i hyn ddigwydd. Roedden nhw'n barod i lamu i fyd yr oedolion, a'u gwenau'n goch gan waed morloi. Smygu fyddai'r peth nesaf, yna'r cychod, a phenwythnosau yn y dafarn. Roedd Bobby'n ysu am gael cyfnod yn y canol. Efallai fod cyfnod felly wedi bodoli yn y gorffennol ond, bellach, roedd llencyndod yn cael ei erydu fel craig feddal. Rhaid oedd tyfu'n oedolyn ar unwaith nawr. Dim amser i gael plorynnod a thymer ddrwg.

Daliodd Bobby'r pastwn o'i flaen. Tynna fe'n ôl yn iawn, a dilyn drwodd. Dilynodd y morlo symudiad y pastwn gyda'i lygaid melltigedig. Nid pysgodyn yw e, roedd Bobby am weiddi. Dw i'n mynd i dy ladd di gyda hwn, felly stopia edrych arno fel petai'n ffrind mawr i ti. Ar yr eiliad honno, roedd Bobby'n casáu'r morlo. Roedd yn ei gasáu am fod mor dwp ac am ymddiried ynddo – ac am rwygo rhwydi.

Anadlodd Bobby'n ddwfn, fwy nag unwaith, gan geisio magu nerth. Anifail yw e, dywedodd wrtho'i hun. Fermin. Un trawiad, a dyna'r diwedd. Gwna fe, ac fe fyddi di'n rhan o'r criw. Paid â'i wneud e, a fyddi di byth yn rhan o'r criw.

Fel pe bai am helpu Bobby, cododd y morlo ei hun ar ei esgyll blaen, gan symud ei ben ar ongl. Y targed perffaith. Fyddai e byth yn cael cyfle gwell. Lapiodd Bobby

o amgylch y pastwn, a'i wasgu tan yr oedd ei
wyn. Cododd y pastwn yn uchel uwch ei

Syniad Babe oedd sefydlu ardal ymarfer. Roedd hi'n awchus iawn am waed, o feddwl mai merch oedd hi.

'Mae milwyr yn hyfforddi ar gyfer brwydrau,' esboniodd, gan hongian melon mewn harnes cortyn o waith llaw wrth frigyn coeden. 'Felly, dylen ni baratoi i hela'r gelyn.'

'Y gelyn?' meddai Bobby'n amheus.

Trodd Babe tuag ato. Doedd ei henw ddim yn gweddu iddi o gwbl. Roedd Babe Meara mor sinigaidd â pherson yn ei oed a'i amser, ac yn ffyrnig fel clamp o ddyn mawr. Roedd llawer o fechgyn lleol wedi camfarnu natur Babe, ac roedden nhw bellach yn gloff.

'Ie, Parrish,' meddai gan boeri. 'Y gelyn. Morloi. Dylet ti wybod yn well na neb. Rhwydi dy dad di sydd wedi'u difrodi fwyaf. Pe bawn i yn dy le di, byddwn i'n plymio oddi ar y creigiau gyda chyllell, i hela'r fermin 'na.'

Roedd hyn, fwy na thebyg, yn wir. Unwaith, llwyddodd Babe i ddod o hyd i'r ci wnaeth fwyta'i chath. Y gosb i Mister Toodles oedd stecen hanner pwys, wedi'i stwffio â thabledi fyddai'n ei weithio.

Estynnodd Babe ben ffelt o'i phoced, a thynnodd lun wyneb anniben ar y melon. Llygaid duon, crwn, trwyn smwt a wisgers.

Aeth ychydig o amser heibio cyn i Seán Ahern ddeall beth oedd yn digwydd. 'Beth yw hwnna? Cath?'

Taflodd Babe y pen ffelt ato. 'Nage, y twpsyn. Helô. Morloi. Ry'n ni'n hela morloi, wyt ti'n cofio?'

Rhwbiodd Seán ei ben. 'O ie, morloi. Galla i ei weld e nawr.'

Chwarddodd ei frawd, Seanie, am ei ben. 'Cath, yn wir! Y mwlsyn.'

'Ie, wel, y trwyn oedd y broblem. Mae'n edrych yn debyg i drwyn cath.'

Gwthiodd Babe y melon yn ôl ac ymlaen, yna aeth wysg ei chefn i fyny hanner dwsin o risiau, gan estyn ffon hyrli o'i gwregys. Roedd y ffon oddeutu dwy droedfedd o hyd, a bandiau metel creulon yr olwg yn croesi ar draws y gwaelod. Roedd y ffon arbennig hon wedi cael ei gwahardd o bob maes chwarae yn y de-ddwyrain ond, byddai Babe yn ei chario gyda hi i bob man oherwydd bod tipyn o bwysau arni, a doedd wybod pryd y byddai'n rhaid ichi glatsio rhywbeth.

Hyrddiodd y ffon fel ymladdwraig ninja fach. 'Fel y gwela i bethau, mae'r diawl bach yn gorwedd ar y creigiau gwastad, yn rhwygo darn o'r rhwyd.'

Aeth Babe yn ei blaen yn araf, gan gerdded wysg ei hochr, a'r ffon yn uchel uwch ei phen.

'Felly rydych chi'n agosáu'n araf. Peidiwch â thynnu'ch llygaid oddi ar y bêl, y melon... y pen rwy'n ei feddwl. Bydd e'n symud o gwmpas tipyn, felly mae'n rhaid ichi geisio rhag-weld ei symudiad nesaf.'

Ceisiodd Bobby wenu'n braf fel y lleill, ond dychymyg da fu ganddo erioed. Gallai weld y morlo. Iddo ef, roedd y melon gwyrdd golau wedi'i drawsffurfio'n ben brown, gwlyb a sgleiniog. Roedd y llygaid du lliw inc yn disgleirio ac yn dawnsio. Dirgrynai'r wisgers blêr yn yr awel. Gwên gelwyddog arwynebol oedd gwên Bobby.

Rhewodd Babe ddau gam oddi wrth y targed. 'Dyma'r adeg allweddol,' sibrydodd. 'Dyma pryd y gallai'r morlo sylwi arnoch chi. Wedyn, mae gan y diawl bach ddau ddewis; gall e redeg, neu fe all e ymladd.' Troellodd ei ffon yn ei llaw, gan dorri'r awyr â sŵn suo ysgafn. 'Felly mae'n rhaid ichi fod yn barod am y ddau beth.'

Gyda chyflymdra arbennig, ar ôl blynyddoedd o gystadlu yn erbyn pobl dalach, cymerodd Babe Meara y ddau gam olaf, gan hyrddio'r ffon ar wib yn erbyn y ffrwyth. Gyda'r ergyd gyntaf, bwrodd y melon o'i harnais cortyn. Gyda'r ail, chwalodd y melon yn filiynau o dameidiau gwlyb, cyn iddo daro'r llawr.

'Iesu,' ebychodd Bobby.

Gwenodd Babe, a diferion o sudd melon gwyrdd dros ei thalcen. 'Edrychwch arno fe, o ddifrif. All e ddim hyd yn oed stumogi rhywun yn lladd darn o ffrwyth. Allet ti byth ymdopi â rhywun yn lladd morlo go iawn.'

Chwarddodd y lleill, gan daro'i gefn yn chwareus.

'Dere 'mlaen Bobby, y mwlsyn.'

'Dere 'mlaen, Parrish. Melon yw e. Ond ar y llaw arall, lemwn wyt ti.'

Ond aeth Paudie, ffrind gorau Bobby yn y grŵp, gam ymhellach. 'Paid â phoeni, mêt. Pan ddaw'r amser, bydd Bobby Parrish yn dangos i bob un ohonon ni beth i'w wneud. Dw i'n siŵr y gwnei di, Bobby. Fe ddangosi di i ni.'

Edrychodd Bobby i fyw llygaid Babe, i geisio adfer y sefyllfa. 'Ie wir. Fe ddangosa i chi.'

Estynnodd Babe ei ffon. 'Beth am iti ddechrau gyda melon?'

Fel y digwyddodd hi, ni fu'n rhaid i Bobby fynd nesaf. Cydiodd Paudie yn y ffon, a gwnaeth dipyn o sbort o'r holl beth; dawnsiodd o gwmpas, gan wneud llais dwl. Trawodd ei felon a sathru'r darnau. Roedd hynny'n ddigon doniol i wneud i Bobby sylweddoli mai dim ond melon oedd y melon, er gwaethaf y lluniau roedd Babe wedi'u tynnu arno. Pan ddaeth ei dro e, hyrddiodd Bobby'r melon allan o'i harnais cortyn. Ond dim ond melon oedd e, a doedd hynny'n profi dim.

Nawr roedd pethau'n wahanol. Roedd morlo go iawn o'i flaen, nid darn o ffrwyth oedd tua'r un maint â phenglog morlo. A doedd pen y morlo go iawn ddim yn siglo yn ôl ac ymlaen yn undonog, ar ffurf bwa. Roedd y pen yn gwyro i un ochr, yn syllu'n syth ar y pastwn oedd wedi'i godi uwchlaw pen Bobby.

Roedd Bobby'n siŵr ei fod wedi siomi ei dad, er na ddywedodd e unrhyw beth. Nid Bobby oedd y cyntaf i ddod ag asgell morlo iddo. Roedd pawb yn tybio mai Paudie fyddai'r cyntaf, ond roedd Babe Meara wedi'u synnu nhw i gyd drwy ddangos ei bod hi'n fwy na dim ond hen geg fawr. Cyrhaeddodd y lanfa ddeuddydd ar ôl y digwyddiad gyda'r melon, gyda stribyn coch ar ei chrys ac asgell yn ei llaw. Taflodd yr asgell ar y cerrig lle roedd Dick Parrish yn diberfeddu pysgod gwynion.

'Papur pumpunt, os gwelwch yn dda,' meddai'n dawel.

Rhoddodd Dick y papur pumpunt iddi. Cydiodd Babe ynddo, a'i wthio'n ddwfn i boced ei jîns. Dim brolio. Dim gair. Yna, aeth Babe adref, a welodd neb mohoni am ychydig ddyddiau. Wedi cael tipyn o annwyd, meddai ei mam.

Tro Bobby oedd hi nesaf. Roedd e wedi bod yn ceisio ei orau glas i osgoi morloi, ond llamodd y creadur bach yma o'r môr i'w gôl, fwy neu lai. Cododd y pastwn etifeddol uwch ei ben, a dim ond un ffordd oedd iddo fynd. I lawr.

Gallai Bobby deimlo'r straen yn ei gyhyrau. Byddai'n rhaid iddo symud yn fuan. Trwy fwa ei freichiau, gallai Bobby weld wal uchel y doc. Roedd dau berson ifanc yn cerdded ar hyd y wal. Yn ymlwybro'n droednoeth ar draws darnau miniog o graig – darnau wedi'u ffurfio gan y gwynt. Ar ôl iddynt gyrraedd y pen, neidiodd y ddau i mewn i'r môr, gan sgrechian a thasgu dŵr dros bob man.

Gwenodd Bobby. Gallai ddychmygu'r dŵr oer yn cau o'i gwmpas. Doedd dim teimlad gwell i'w gael. Yr eiliad honno o gyffyrddiad glân y dŵr, a'r llygaid yn bŵl. Dychwelyd wedyn i'r wyneb, i'r awyr iach.

Dyna beth ddylwn i fod yn ei wneud, meddyliodd. Dylwn i fod yn plymio oddi ar y wal uchel, yn hela am abwyd ac yn taflu pennau pysgod at ferched. Nid at Babe, yn amlwg. At ferched eraill. Gwneud hynny, yn hytrach na lladd morloi.

Lladda'r blydi morlo! meddai rhan arall ohono. Lladda fe, a phaid â gwneud ffys.

Fermin yw e. Lladda fe! gwaeddodd Dad a Tad-cu a Babe a channoedd o leisiau eraill yn ei ben.

Clywodd Bobby'r pâr ifanc yn chwerthin yn y pellter, wrth iddyn nhw ddringo'r wal er mwyn neidio unwaith eto. Roedd yn ysu am gael ymuno â nhw. Taflu'r pastwn teuluol i'r llawr, gwisgo'i hen drôns nofio ac ymuno â nhw. Ond allai e ddim. Roedd yr haf wedi cyrraedd, a chyfnod newydd yn ei fywyd ar ddechrau. Roedd yn ddyn ifanc nawr. Deuai rhyddid gyda hynny, a rhai cyfrifoldebau hefyd. Gallai aros ar ei draed yn hwyr, i wylio ffilmiau treisgar. Gallai seiclo pum milltir i'r disgo lleol, gallai hyd yn oed lywio'r cwch allan ar ei ben ei hun o amgylch y bae. Ond roedd yn rhaid iddo ennill ei fara menyn hefyd, a dysgu sut i smygu a lladd morloi.

Teimlai fel petai wedi bod yn dal y pastwn uwch ei ben ers oriau. Roedd gewynnau ei freichiau yn dynn fel tannau gitâr. Ac arhosai'r morlo bach yn amyneddgar i'r gêm ddechrau.

Dw i'n sownd, meddyliodd Bobby. Dw i'n sownd yn y sefyllfa hon. Dw i ddim eisiau gwneud hyn, ond mae'n rhaid i mi ei wneud.

'Does dim rhaid i ti, 'machgen i,' meddai llais y tu ôl iddo.

Trodd Bobby, â'r pastwn wedi'i godi uwch ei ben o hyd.

Roedd ei dad ar ei gwrcwd ar y lanfa, yn pwyso'i benelinoedd ar ei bengliniau. Roedd yr olwg ar ei wyneb yn anodd ei deall. Efallai fod dealltwriaeth yno, a rhywfaint o siom hefyd, efallai.

'Mae'n rhaid imi, Dad. Fe alla i ei wneud e hefyd.'

Symudodd Dick Parrish ei gorff. 'Dw i'n gwybod y gallet ti, fachgen, ond does dim rhaid i ti. Edrycha.' Safai tad Bobby'n llonydd, gan gysgodi ei lygaid rhag yr haul. Pwyntiodd fys tuag at y bae.

Trodd Bobby tuag at y môr ac, am rai munudau, ni allai weld unrhyw beth y tu hwnt i'r cyffredin. Yna, sylwodd ar rimyn o olau yng nghanol y tonnau bychain. I ddechrau, meddyliodd mai un o belydrau'r haul ydoedd, tan iddo newid cyfeiriad deirgwaith mewn munud.

'Sbrats,' ebychodd Bobby.

'Ie,' meddai ei dad. 'Felly mae'r mecryll yn dod i mewn. Pawb yn barod. Bant â ni.'

Roedd y mecryll yn dod i mewn. Am y tro cyntaf ers blynyddoedd. Doedd dim pwysau arno, am y tro. Ac efallai, pe bai'r pysgod yn aros i mewn am rai wythnosau, y byddai pawb yn anghofio am hela'r morloi. Gollyngodd Bobby'r pastwn, gan edrych tuag at y morlo ifanc. Ond dim ond staen gwlyb oedd ar y creigiau bellach, yn anweddu wrth i Bobby edrych arno. Roedd y morlo'n gwybod bod y pysgod yn dod, a byddai yno i'w cyfarch nhw hefyd.

Brysiodd Bobby i fyny'r llethr creigiog ar ôl ei dad.

'Fe af i â'r cwch allan,' meddal Dick Parrish yn frysiog. 'Dw i am i ti eistedd ar y wal fer gyda llinell o blu. Cer â bocs pysgota gyda ti hefyd, bydd ei angen arnat ti.'

Nodiodd Bobby ei ben. Gallai bysgota. Roedd lladd pysgod yn haws na lladd morloi. Roedd pobl yn bwyta pysgod.

'Dere â dy frawd gyda ti hefyd,' aeth Dick yn ei flaen. 'Gwnaiff les iddo fe gael ychydig o oriau heb ei lyfrau.'

'Iawn, Dad.'

Dringodd y ddau dros y gamfa i mewn i'r cei. Doedd neb yn crwydro i unman. Roedd pawb yn brysio, yn fân ac yn fuan.

Mae'n siŵr taw fel hyn yr oedd hi wedi bod cyn cyrch awyr, meddyliodd Bobby. Pawb â'i waith i'w wneud, ac efallai na fyddai llawer o amser i wneud y gwaith. Cymerodd funud i ddeall yr hyn oedd yn digwydd, cyn taflu ei hun i ganol y bwrlwm.

Roedd y cei dan ei sang, a thrigolion y pentref yn chwilio am le da i sefyll, fel twristiaid o amgylch carwsél cesys. Roedden nhw'n cario llinynnau a gwiail pysgota a bocsys o bob math. Bwcedi, basgedi golchi, potiau a sosbenni. Y cyfan i'w gollwng i mewn i lanw'r gwanwyn. Llamai'r corbenwaig disglair i mewn i geg y doc fel haen o ddur hylifol ac, y tu ôl iddynt, fflach ariannaidd miliynau o fecryll, yn plymio'n drachwantus tuag at y doc. Ar ôl mynd i mewn, byddent yn cael eu caethiwo yn nrysfa waliau'r cei, a dim ond y rhai lwcus fyddai'n dianc. Dim ond tua thair awr oedd gan y trigolion cyn i'r llanw wacáu'r doc, yna byddai'r pysgod oedd yn weddill yn cael eu pentyrru'n uchel ar y tywod, i bydru'n gyflym yn yr haul. Doedd neb eisiau bwyta pysgod wedi pydru, felly byddai'n rhaid eu codi'n ffres o'r dŵr. Cymaint â phosib. Yna, câi'r pysgod ar y tir eu rhofio i mewn i focsys o halen, a'u gwerthu fel blawd pysgod neu abwyd.

Teimlodd Bobby law ei dad yn taro'i ysgwydd.

'Dyna ddigon o rythu. Siapia hi.'

'Iawn,' meddai Bobby, a rhedodd ar wib at y cei. Ond roedd rhywbeth yn ei gymell i aros ac edrych yn ôl. Roedd ei dad yn ei wylio'n mynd, â golwg bell ar ei wyneb.

Nid fi wyt ti, meddai'r wyneb hwnnw. Ro'n i'n credu y byddet ti fel fersiwn llai ohona i, ond rwyt ti'n gwbl unigryw. Rhoddodd Dick Parrish ei law yn gylch o gwmpas ei geg. 'Efallai y gallwn ni siarad yn hwyrach heno, am bethau. Ti'n gwybod, pethau fel pastynu morloi, ac unrhyw beth arall hoffet ti ei drafod.'

Nodiodd Bobby. Oedd ei dad yn hapus iddo fod yn wahanol 'te? Oedd e eisiau bod yn wahanol?

Trodd Bobby a rhedeg tuag adref.

Ei Hoedran Hi yw'r Broblem

gan Mary Hooper

Addasiad gan Eiry Miles

Ei Hoedran Hi yw'r Broblem

Wrth i Mam a finnau fynd i mewn i'r lolfa, clywais Anti Nansi'n anadlu'n ddwfn, ac Wncwl Jac yn ebychu 'Yffach gols!' dan ei wynt cyn dweud, 'Ydi wir, mae merch Draciwla wedi cyrraedd!'

Gan eu hanwybyddu, camais yn ddiamynedd dros y carped patrymog a phwyso'n ddioglyd yn erbyn braich y soffa. Allwn i ddim eistedd i lawr oherwydd roedd fy ngwisg yn rhy dynn.

Cefais gip arna i fy hun yn nrych y lolfa.

Ro'n i'n edrych yn cŵl.

Ro'n i'n edrych fel Goth go iawn.

Fel Goth brawychus. Ro'n i'n gwisgo bodis satin du, wedi'i glymu'n dynn iawn â chareiau, a throsto, roedd ffrog hir felfed ddu, wedi'i thorri i fyny at y wasg. O dan y ffrog, ro'n i'n gwisgo teits rhwyllog du ac esgidiau hoelion mawr, a chlogyn du dros y cyfan.

Roedd tawelwch wrth iddyn nhw syllu arna i ac yna, fe ddywedodd Mam yn ofalus, 'Ei hoedran hi, chi'n gweld. Tair ar ddeg. Ry'n ni'n credu mai'r peth gorau i'w wneud yw anwybyddu'r cwbl.'

'Ti'n iawn, siŵr o fod,' meddai Anti Nansi, gan siglo'i phen yn ddigalon.

'Wel, ry'n ni'n gobeithio y gwnaiff hi dyfu mas o'r holl beth 'ma cyn gynted â phosib.'

TAIR AR DDEG

'Ydi'r creadur 'ma'n siarad?' holodd Wncwl Jac.

'Dw i ddim yn fyddar, chi'n gwybod,' meddwn i, gan rythu ar bawb o'm cwmpas oedd yn fy nhrafod i fel petawn i'n gelficyn yn llawn pryfed pren. 'Galla i glywed *a* siarad.'

'Diolch byth am hynny,' meddai Wncwl Jac, gan wenu'n gam. 'Achos gyda'r holl golur du 'na o gwmpas dy lygaid, mae'n siŵr nad wyt ti'n gweld yn dda iawn.' Edrychodd o'i gwmpas yn disgwyl cael cymeradwyaeth am ei ffraethineb, a dechreuodd Mam ac Anti Nansi biffian chwerthin.

'Ond o dan hyn i gyd, ein Rhiannon fach ni yw hi o hyd,' meddai Mam.

'O, Mam!'

'Neu Noni, fel mae hi'n hoffi cael ei galw nawr,' aeth Mam yn ei blaen yn frysiog. 'Ac wrth gwrs, ar ddiwrnod y briodas, fydd hi'n ddim byd tebyg i hyn. Galla i'ch sicrhau chi o hynny.'

'Wel, dw i ddim yn credu y bydd hi'n hoffi gwisgo beth mae Haf wedi'i ddewis iddi hi,' meddai fy modryb yn bryderus.

'Na fydd *hi*?' meddwn i. Mae pobl wastad yn dweud wrtha i fod defnyddio *hi* neu *fe* o flaen pobl yn anghwrtais. Hynny yw, siarad am bobl fel petaen nhw ddim yno. Ac felly, roedd Anti Nansi'n ymddwyn yn anghwrtais iawn.

Rhythodd arna i. 'Mae'r lipstic yna'n *ddu*, on'd yw e,' meddai hi'n wan.

'A beth yw hwnna ar ei gwddf hi?' ategodd Wncwl Jac.

'Tatŵ,' meddwn i. 'Tatŵ o we corryn.'

'Nid un go iawn!' meddai Mam yn syth. 'Fyddwn i ddim yn gadael iddi sbwylio'i bywyd fel'na. Un o'r rheina y gallwch chi eu golchi nhw bant yw e.'

'Golchi nhw bant, ife?' meddai fy ewythr. 'Dw i'n siŵr nad yw honna'n defnyddio llawer o sebon.'

Fe wnes i esgus nad o'n i wedi clywed hynny, gan mod i'n teimlo tipyn o gywilydd am gael tatŵ dros dro. Roedd e fel cael gwallt melyn, neu gorynnod plastig o gwmpas eich ystafell. Ac roedd gen i gorynnod plastig, a dweud y gwir (ond nid gwallt melyn), achos er y byddai rhai go iawn yn llawer mwy brawychus ac ych a fi, roedd arna i eu hofn nhw.

'Fydd ganddi hi mo'r... peth 'na ar ei gwddf ar ddiwrnod y briodas, na fydd?'

'Na fydd, wrth gwrs!' meddai Mam.

'Diolch byth am hynny,' meddai fy modryb, gan esgus ysgwyd ffan dros ei hwyneb mewn rhyddhad.

Rhythais arni eto. Doedd ganddi hi ddim chwaeth ardderchog ei hunan – beth am yr hen garped oren â'r patrymau troellog afiach 'na yn ei lolfa? A'r lluniau ar y waliau o geffylau'n rhedeg drwy donnau, a'r cadeiriau brown fflwfflyd? Roedd y pethau hynny'n siŵr o yrru ias i lawr eich cefn chi.

Roedden ni'n ymweld â'm modryb ac wncwl er mwyn siarad am y briodas. Priodas Haf eu merch, sef fy nghyfnither. Priodas y Flwyddyn oedd hon, o weld yr holl ffys roedden nhw'n ei wneud. Ond y peth yw, petai rhywun wedi gofyn imi fod yn forwyn briodas i unrhyw ferch arall, byddwn wedi gwrthod, a chwerthin yn ddirmygus, a rholio fy llygaid â'u hymylon cohl a'u harwain allan o'r tŷ, ond ro'n i a Haf yn ffrindiau eithaf da.

Roedd hi tua phymtheng mlynedd yn hŷn na fi, ac fe ddechreuodd hi fy ngwarchod i bron yn syth ar ôl imi gael fy ngeni. Byddai hi'n mynd â fi allan yn y bygi i bob man. Pan o'n i tua thair oed (ac yn rhy ifanc i wybod yn well) ro'n i'n credu bod morynion priodas yn bethau digon tebyg i'r tylwyth teg, a gofynnais i Haf addo, drwy dynnu llw'r tylwyth teg, y cawn i fod yn forwyn briodas iddi pan ddeuai'r amser. Nawr, roedd hi wedi cwrdd â Rhydian Rhywiol (dyna beth roedd hi'n ei alw; ro'n i'n credu ei fod e'n fwlsyn) ac roedd hyn i gyd ar fin digwydd.

Ddwyawr yn ddiweddarach, ro'n i yn ystafell wely Haf, yn gwrando arni'n siarad gyda RhRh ar ei ffôn symudol. Wel, rwy'n dweud siarad, ond roedd e'n fwy o sŵn piffian chwerthin a chusanau bach gwlyb, a *mmmmmm* ac *aaaaaa* hir nes mod i'n teimlo'n sâl. Ac ydw, dw i'n hoffi bechgyn, a dw i wedi bod mas ar ddêt unwaith yn fy mywyd a dweud y gwir, ond taswn i'n dechrau treulio awr ar y ffôn yn gwneud dim ond synau cusanau bach wel – byddai croeso ichi fy nghloi i mewn cell a thaflu'r allwedd i ffwrdd.

Pan roddodd hi'r ffôn i lawr o'r diwedd, roedd ei llygaid hi'n disgleirio fel sêr.

'Dw i'n dweud wrthot ti, Noni, mae e'n yffarn o foi,' meddai.

'Wir?' meddwn i'n anghrediniol, cyn newid tôn fy llais a'i ddweud e eto – '*Wir?*' – ond yn fwy caredig a siriol. Wedi'r cyfan, a minnau'n unig forwyn briodas iddi hi, roedd rhaid imi ddangos cefnogaeth iddi.

'Nawr,' meddai hi, gan godi ar ei thraed, 'beth am gael golwg ar dy ffrog forwyn briodas!'

Teimlais bob rhan ohonof yn tynhau wrth weld Haf yn mynd at y cwpwrdd dillad ac yn ei agor yn ddramatig. 'Dw i wedi prynu un wedi'i gwneud yn barod,' meddai, a chlywais sŵn defnydd yn llithro, a phapur sidan yn siffrwd. 'Ro'n i'n gwybod na fyddet ti eisiau unrhyw beth rhy ffyslyd...' siffrwd... siffrwd... 'ond y peth yw, maen nhw wastad braidd yn ffyslyd. Ac yn lliwgar. Mae'n anodd cael rhai du. Ond dw i ddim yn credu y bydd gormod o ots gen ti am yr un yma.'

A chyda hynny, trodd o gwmpas, gan ddal *peth* ar yr hanger. Peth lliw lelog ysgafn. Peth disglair, hir, dros ben llestri, gyda rhuban mawr wedi'i glymu ar y tu blaen, ffrilen les o gwmpas y gwddf, ac un arall o amgylch yr hem.

'Aaa,' meddwn i, gan deimlo fy hun yn marw.

'Ddim yn rhy ddrwg, nag yw?' meddai'n siriol. 'A dim ond am ychydig oriau fydd yn rhaid iti ei gwisgo. Lelog yw lliw arbennig y briodas. Gallai fod yn waeth. Gallai lliw y briodas fod yn binc!'

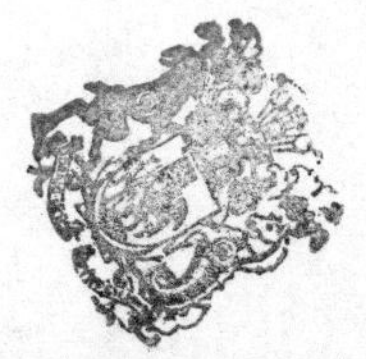

TAIR AR DDEG

Wrth edrych ar y *peth*, roedd yn anodd dychmygu y gallai fod yn llawer gwaeth, a dweud y gwir.

'Ac am dy ben,' aeth Haf yn ei blaen, gan gydio mewn pelen fawr o bapur sidan, 'mae gen i'r penwisg bach 'ma. Mae e'r un peth â f'un i – dim ond bod f'un i'n wyn, wrth gwrs.'

Datododd y papur sidan ac estyn y peth o'r enw 'penwisg'. Ac roedd e'n edrych yn benwisgaidd iawn hefyd. Roedd yr enw'n gweddu iddo, i'r dim. Roedd e'n debyg i rwyd wallt, ond yn fwy trwchus, a blodau lelog drosto i gyd.

Ebychais yn llawn arswyd.

'Wyt ti am drio hwn?'

'Na, mae'n iawn,' meddwn i'n wan. 'Fe arhosa i tan imi olchi fy ngwallt. Dw i ddim am gael cwyr gwallt ar y… blodau hyfryd.'

'Mae'n eithaf syml, on'd yw e? Fel y dywedais i, mae fy mhenwisg i'r un peth, ond gydag addurniadau gwyn.' Gwenodd o glust i glust. 'Yffach, dw i'n teimlo'n ofnadwy o gyffrous. Alla i ddim aros!'

'Na finnau,' meddwn, yn gelwyddog. Teimlwn fod angen imi dawelu ei meddwl. 'Paid â phoeni, fe wna i glymu fy ngwallt yn ôl ar y diwrnod. Wna i ddim rhoi cwyr na dim byd arall arno. Ac wrth gwrs, wna i ddim gwisgo'r lipstic 'ma, na cholur ar fy llygaid chwaith.'

'Wrth gwrs na wnei di!' meddai Haf. 'Dw i'n gwybod na wnei di fy siomi i.'

'Ond dw i'n credu bod dy fam a dy dad yn meddwl mod i'n un o blant y diafol,' meddwn. 'Roedd dy dad bron â dal croes o'm blaen i pan ddes i drwy'r drws.'

Chwarddodd Haf. 'O, paid â chymryd sylw ohonyn nhw. Ro'n i'n union yr un peth d'oed di – ac roedden *nhw*'n ymddwyn yn union yr un peth hefyd. Unwaith, pan ro'n i wedi gwisgo fy hoff ddillad, fe wnaeth Dad fy ngorfodi i fwyta fy swper mas yn y sied. Doedd e ddim yn gallu dioddef edrych arna i, meddai fe.'

Chwarddais.

'Pync oeddwn i. Rhyw fath o bync *retro*,' meddai Haf.

'Y math gwaethaf!'

'Ac yn ystod un gwyliau haf, fe wnes i dorri fy ngwallt mewn steil mohican go iawn.'

'Dw i ddim yn cofio dy weld di'n edrych fel'na!'

'Wel, dim ond tua thair oed oeddet ti.'

Gwenodd y ddwy ohonom ar ein gilydd. Roedd yn rhyfedd meddwl y gallai rhywun oedd yn ddigon cŵl i fod yn bync edrych ar y *peth* lelog 'ma gyda'r *penwisg*, a meddwl eu bod nhw'n bethau derbyniol i'w gwisgo. Ond, wel, roedd hi'n dibynnu arna i ac roedd hi'n ffrind i mi. A byddwn i'n newid i'r dillad Goth arferol yn syth ar ôl y seremoni.

Diwrnod y briodas. Doedd hi ddim yn bwrw, a dyna oedd y peth pwysig i bawb, hyd y gwelwn i. Roedd glaw wedi bod yn destun trafod mawr yn y teulu ers misoedd.

Fyddai hi'n bwrw ar Y Diwrnod? Buon nhw'n trafod y rhagolygon hirdymor, ac yn hongian gwymon y tu fas er mwyn gweld a fyddai'n crebachu (neu'n gwneud rhywbeth arall, alla i ddim cofio) ac roedd y mamau wastad yn ffonio lle'r rhagolygon tywydd. Beth bynnag, doedd hi ddim yn bwrw, ac roedd pawb fel petaen nhw'n credu bod hynny'n beth Arbennig o Dda.

Cyrhaeddais i a Mam dŷ Anti Nansi am ddeg o'r gloch y bore. Doedd y briodas ddim tan dri, ond roedd Haf a finnau'n mynd i'r siop trin gwallt yn gyntaf, ac oherwydd hynny, doeddwn i ddim yn credu bod pwynt mynd mas heb roi digon o gwyr ar fy ngwallt. Os oedden nhw'n mynd i olchi fy ngwallt, doedd dim pwynt i mi ei olchi hefyd.

'O!' meddai Anti Nansi, gan edrych arna i'n llawn braw. 'Mae hi'n dal i edrych fel'na! Y gwallt a'r colur a phopeth!'

'Mae'n iawn. Fe ddaw e bant pan fyddan nhw'n golchi ei gwallt hi,' meddai Mam. 'Fydd hi ddim yr un un ar ôl cael sgrwbad da.'

'Ydi'r tatŵ gwe corryn yno o hyd?' clywais Wncwl Jac yn cwyno yn y gegin.

'Nac ydi,' meddwn, gan gamu'n swnllyd lan stâr.

Es i'n syth i ystafell Haf, a gwthio fy hun drwy'r drws gan ddisgwyl ei gweld yn ddarlun o hyfrydwch pur yn ei ffrog wen, ond roedd hen ŵn gwisgo tyllog amdani, a masg clai gwyn ar ei hwyneb a nicers am ei phen i gadw'i gwallt o'r ffordd.

Troais fy llygaid o olwg y peth lliw lelog oedd yn hongian ar ddrws y cwpwrdd dillad. 'Dyma fi!' meddwn yn ddewr. 'Wedi dod i gadw cwmni i ti yn ystod dy oriau olaf o ryddid.'

'Noni!' meddai hi. 'Mae'n rhaid imi roi anrheg i ti, am fod yn forwyn briodas.'

Cododd hynny fy nghalon. 'Do'n i ddim yn gwybod mod i'n cael un o'r rheiny.'

'O, mae'n draddodiad. Mae'r briodferch wastad yn prynu rhywbeth bach i'r forwyn briodas, i gofio'r diwrnod. Fel arfer, loced fach aur a chadwyn i'w gwisgo o amgylch ei gwddf.'

Rhewodd y wên ar fy wyneb wrth iddi estyn bocs o'r drôr a'i roi yn fy llaw. Roedd yn edrych braidd yn fawr i fod yn loced a chadwyn aur, ond meddyliais efallai fod llawer o bapur lapio o'u cwmpas.

'Cadwyn *yw* hi,' meddai, a dechreuais ofni'r gwaethaf, ond pan agorais y bocs, gwelais goler ci *ffantastig* gyda stydiau drosti i gyd. Lledr du, â stydiau arian disglair. Ro'n i wedi bod yn dyheu am gael un o'r rhain ers hydoedd, ond doedd Mam ddim yn gadael imi gael un.

Ond nawr bod Haf wedi prynu un imi, byddai'n rhaid iddi adael imi ei chadw.

Ddim yn ddrwg, meddyliais, am awr neu ddwy o wisgo lan fel tylwythen deg.

'Ac os gŵyr neb ohonoch am unrhyw rwystr cyfiawn i'r briodas hon...' rhygnodd y Gweinidog yn ei flaen, ond wnaeth neb dorri ar draws y seremoni na'i gwrthwynebu mewn unrhyw ffordd (dw i'n credu mai dim ond mewn ffilmiau mae hynny'n digwydd) felly roedd yn edrych fel petai'r briodas yn mynd yn ei blaen.

Edrychais ar f'adlewyrchiad yn y ffiol arian sgleiniog ar yr allor.

Do'n i ddim yn edrych fel fi fy hun, o gwbl. Nid y fi go iawn. Ro'n i'n edrych yn waeth nag y gallai unrhyw un ddychmygu: roedd y peth lelog yn ffrils i gyd, y penwisg yn benwisgaidd a 'ngwallt yn gwrls byrlymus. O dan y cwrls byrlymus roedd fy wyneb yn dew ac yn edrych fel plastig, oherwydd bod lliw lelog ysgafn ar fy amrannau (i fynd gyda'r wisg, wrth gwrs) lipstic pinc perlaidd ar fy ngwefusau, a lliw pinc ar fy mochau hefyd. Ych a fi. Doedd Haf ddim yn edrych fawr gwell; roedd hi fel petai'n gwisgo un o'r pethau ffyslyd 'na sy'n dal papur tŷ bach ac, ar ei phenwisg, roedd fêl fach yn hongian dros ei hwyneb.

Wrth bwyso ymlaen ychydig, gwelais adlewyrchiad rhes gyntaf y gynulleidfa, a chriw digon diflas yr olwg oedden nhw hefyd. Roedd y dynion i gyd yn gwisgo siwtiau llwyd oedd yn edrych fel cardbord, a'r menywod i gyd yn gwisgo ffrogiau blodeuog erchyll. Ych.

Ac yna, gwelais fachgen yn sefyll ym mhen draw'r rhes flaen. Bachgen digon golygus, o'r hyn y gallwn i ei weld, heblaw ei fod yn gwisgo siwt a bod ei wallt yn rhy fyr, ac roedd yn edrych fel petai'n dipyn o swot. Ond doedd e ddim yn ddrwg, er hynny.

Fe wnes i esgus mod i'n esmwytho'r ffrog lelog, a throais ychydig i'r ochr er mwyn imi fedru ei weld yn iawn. Ac yna, troais yn ôl yn gyflym, ar ôl iddo fy ngweld yn edrych. Gwenodd arna i, ac roedd e'n sicr yn dipyn o bishyn.

'Felly… cyfnither y briodferch wyt ti, ife?'

Daeth y bachgen draw i siarad gyda mi yn y gwesty yn nes ymlaen, ac roedd e'n sgwrsio'n naturiol ac yn hyderus.

Nodiais. Roedd ganddo lygaid brown bendigedig. 'Beth amdanat ti?'

'Cefnder y priodfab. F'enw i ydi Iwan.'

'Noni ydw i. Felly… ydi hyn yn golygu ein bod ni'n gefndryd-yng-nghyfraith?'

'Ydi, mae'n debyg,' meddai gan wenu. 'Wyt ti'n mwynhau?'

'Wel… nid dyma'r math o beth rwy'n ei fwynhau,' meddwn, gan edrych i lawr ar y ffrog lelog. 'Beth dw i'n ei olygu yw, dw i ddim fel arfer yn edrych fel hyn.'

'Nag wyt?' Cododd ei aeliau. Yn ogystal â llygaid brown bendigedig, roedd ganddo flew amrannau hir iawn.

'Nac ydw! Ro'n i bron â chwydu pan welais i fy hun yn y drych! Dyma beth yw cawl potsh!'

'Mor ddrwg â hynny, ydi?'

'Dw i'n edrych mor normal,' meddwn i'n drist. 'Dw i'n edrych fel pawb arall!'

'Ydi hynny'n beth ofnadwy?'

'Ydi,' meddwn i, 'mae'n hollol uffernol.'

Ac yna sylweddolais i sut roedd hynny'n swnio. Yn rêl pen mawr, fel petawn i'n credu mod i'n well na phawb arall. (A dyna ro'n i'n ei feddwl, a dweud y gwir, ond nid dyna'r math o beth y dylech chi ei ddweud wrth rywun rydych chi'n ei ffansïo ac yn gobeithio creu argraff arno.)

Ceisiais wneud i hynny swnio'n well, trwy ddweud, 'Wel, pam mae'n rhaid i bawb fod mor gonfensiynol?' ac yna sylweddolais ei fod e – Iwan – yn hollol gonfensiynol ym mhob ffordd, ac yn credu mod i'n ei sarhau, fwy na thebyg.

Teimlais fy hun yn dechrau suddo, ac yna ces fy achub, os taw dyna'r gair cywir, gan Wncwl Jac, a oedd wrthi'n cyflawni ei rôl fel Tad y Briodferch. Daeth draw at Iwan a'i daro ar ei gefn, gan ddweud wrtho am beidio â gwastraffu'i amser gyda fi, ac i fynd draw i gael gwydraid o siampên. Yr hyn a ddywedodd go iawn oedd 'Fyddet ti ddim am weld hon ar noson dywyll – fampir o'r tu hwnt i'r bedd yw hi!'

Ac yna, gyda chwerthiniad ho-ho-ho fel rhyw Siôn Corn gwallgo, gwthiodd Iwan at y bar.

'Wel, diolch am gael gwared ar yr unig fachgen golygus yn y lle 'ma,' ysgyrnygais ar fy wncwl wrth iddo gerdded i ffwrdd, er mae'n debyg taw fi oedd yn bennaf gyfrifol am gael ei wared e.

Beth bynnag, fe wnes i feddwl i mi fy hun, yn ystod cinio rhost oer y briodas, yr areithiau di-ben-draw, a'r jôcs 'doniol' honedig, doedd dim rhaid iddo adael mor ddisymwth. Pam na ddaeth e'n ôl ataf i, er mwyn inni siarad ychydig a chael sgwrs fwy synhwyrol? Trueni am hynny. Ac er imi chwilio amdano pan ddechreuodd y gerddoriaeth ddisgo ofnadwy, allwn i mo'i weld yn unman.

Am wyth o'r gloch, aeth Haf i newid, ac es i gyda hi hefyd. Ro'n i wedi addo i bawb y byddwn i'n aros yn y ffrog lelog drwy'r nos ond – ac roedd hyn yn hynod anffodus – fe wnes i sefyll ar yr hem a rhwygo twll mawr ynddi. Felly, byddai'n rhaid imi newid i'r wisg arall oedd gen i: fy ffrog mini satin ddu, gyda theits gwlanog trwchus oddi tani. Ac oherwydd ein bod mewn priodas, gosodais fêl ddu dros fy wyneb, a gwisgo'r goler arbennig ges i'n anrheg gan Haf.

Gyda'r wisg, daeth fy ngholur. A'r cwyr yn fy ngwallt, a'm hoff esgidiau hoelion mawr. Rhyddhad oedd cael eu gwisgo eto ac, er mod i'n credu imi godi ofn ar fachgen oedd yn dipyn o bishyn, ro'n i'n teimlo'n well o lawer. Wrth baentio haen fwy trwchus nag arfer o'r lipstic du ar fy ngwefusau, cysurais fy hun wrth feddwl y byddai wedi colli diddordeb ynof i beth bynnag, petai wedi fy ngweld i yn fy nillad Goth. Fyddai gan rywun mor gonfensiynol â fe ddim diddordeb yn y fi go iawn.

Gan adael Haf yn stafell ymolchi'r gwesty, ymlwybrais yn hamddenol i lawr, gan aros am ychydig ar ganol grisiau'r gwesty. Gobeithiwn y byddai rhywun yn edrych i fyny, yn fy ngweld i, ac yn cael tipyn o fraw. Yna, trwy gil fy llygaid, gwelais rywun yn dod i lawr y grisiau o'r cyfeiriad arall: bachgen â'i wallt yn llawn jél, yn bigau dros ei ben, yn gwisgo crys plastig du â llewys rhwyllog, a phâr cŵl eithriadol o jîns lledr, a sipiau drostynt i gyd. Roedd e hefyd yn gwisgo colur du, a masgara trwchus dros ei flew amrannau hir.

'Helô,' meddai.

Iwan oedd e. 'H... helô,' meddwn, yn herciog.

A minnau'n dal i rythu arno'n gegrwth, daethom at ein gilydd ar ganol y grisiau. Winciodd arna i, a chydiodd yn fy llaw. Yna, cerddon ni'n dau i lawr gyda'n gilydd.

'Yffach, yffach gols!' Clywais Wncwl Jac yn ebychu wrth inni gyrraedd y gwaelod.

Gwenais ar fy wncwl gyda fy ngwefusau du. 'Well ichi gadw'ch gwddf o'r golwg,' meddwn i. 'Mae 'na ddau ohonon ni nawr.'

Ac yna, aethon ni draw at y DJ, i ofyn a oedd ganddo unrhyw ganeuon gan Siouxsie and the Banshees.

Llygaid Brown Dwl

gan Kevin Brooks

Addasiad gan Eiry Miles

Llygaid Brown Dwl

Fues i erioed yn arbennig o hoff o Geraint Gwilym. Ro'n i'n treulio llawer o amser gyda fe, ac efallai y gallech chi ddweud ein bod ni'n ffrindiau, ond wnaethon ni erioed olygu llawer i'n gilydd, dw i ddim yn credu. Cyfleustra oedd sail ein cyfeillgarwch, yn fwy na dim – roedden ni'n byw yn yr un pentref, yn mynd i'r un ysgol, ac fe ddathlodd y ddau ohonom ein penblwyddi'n dair ar ddeg ddechrau'r haf diwethaf...

A dyna'r cwbl. Wrth gwrs, roedden ni'n gwneud pethau gyda'n gilydd, ac weithiau bydden ni'n siarad am wahanol bethau, ond doedd e ddim mwy na hynny. A dweud y gwir, wrth edrych 'nôl ar y peth nawr, dw i ddim yn credu inni erioed *adnabod* ein gilydd o gwbl. Dim ond treulio amser gyda'n gilydd wnaethon ni, chi'n gwybod?

Byddai'n dweud wrtha i, 'Wyt ti'n moyn dod draw i'n tŷ ni?'

A byddwn i'n dweud, 'Iawn...'

Doedd dim byd *mwy* i'r peth na hynny.

Mae'n anodd disgrifio Geraint fel unrhyw beth heblaw cyffredin – taldra cyffredin, maint cyffredin, wyneb digon cyffredin. Roedd ei lygaid braidd yn rhyfedd – fel petaen nhw'n llac ac yn ddiog ac o liw brown fel siocled – ond heblaw am hynny, doedd dim byd eithriadol yn ei gylch.

Roedd ei gartref, ar y llaw arall, yn anodd ei anghofio. Byngalo oedd e, yn un peth, ac allwn i byth ddeall hynny'n iawn. Hynny yw, beth yw pwynt cael tŷ gyda dim ond un llawr? *Pam*? Ac, ar ben hynny, roedd nenfydau isel iawn gan bob ystafell, ac roedden nhw i gyd yn gysylltiedig, fel drysfa o dwnneli llydan… ac roedd *llwythi* ohonyn nhw. Roedd yn hollol hurt. Rhaid ei fod e fel byw mewn twll cwningen. Pryd bynnag y byddwn i'n mynd yno, allwn i byth weld ble roedd unrhyw beth, ac fe es i ar goll ambell waith… wrth ddod 'nôl o'r tŷ bach, fel arfer. Ro'n i'n teimlo fel rêl mwlsyn.

'Jest yn mynd i'r tŷ bach,' meddwn i. ''Nôl mewn munud.' Ond fyddwn i ddim yn ôl mewn munud, byddwn i 'nôl ymhen rhyw hanner awr, ac yna byddai Geraint yn gwenu'n gam arna i, fel petai e'n dweud – beth ddiawl wyt ti wedi bod yn ei wneud? – a fyddwn i ddim yn gwybod beth i'w ddweud, felly byddwn i'n gwenu'n lletchwith ac yn esgus bod popeth yn iawn. Dw i ddim yn credu y byddai ots am hynny pe baen ni'n ffrindiau gwell. Byddwn i jest yn dweud wrtho mod i wedi mynd ar goll, a byddai Geraint yn chwerthin ac yn fy ngalw i'n dwpsyn, a byddwn i'n dweud wedyn mai ei fai e oedd e, am gael tŷ mor hollol hurt… a *byddai* popeth yn iawn.

Yn ffodus i mi, pryd bynnag y byddwn i'n mynd i dŷ Geraint, bydden ni'n treulio'r rhan fwyaf o'n hamser yn yr ardd, felly fyddai dim angen imi boeni llawer am fynd ar goll yn ei dŷ. Y cyfan y byddai'n rhaid imi boeni amdano oedd mynd ar goll yn ei ardd. Roedd hi'n *anferth.* Wir, y tro cyntaf imi ei gweld, allwn i ddim credu'r peth. Hyd hynny, roedd yr unig erddi imi eu gweld yn weddol debyg i'w gilydd – darn petryal o lawnt yng nghefn y tŷ, ychydig o welyau blodau, a choeden neu ddwy, efallai. Ond roedd gardd Geraint yn gwbl wahanol. Tir gwyllt a gwasgarog oedd gardd Geraint, ac roedd fel petai'n mynd ymlaen am byth: aceri o dir, dwsinau o siediau a bwâu, caeau o wair gwyllt a chwyn, waliau wedi'u chwalu, darnau o gerfluniau, pyllau dŵr, tai allan, selerydd... roedd yno hyd yn oed hen bwll nofio ynghudd ar waelod yr ardd, ond roedd wedi cracio a briwsioni i gyd, ac yn las fel llygaid marw.

Y math yna o le oedd e.

Cymysgedd berffaith o baradwys ac uffern.

Beth bynnag, ar y diwrnod dw i eisiau sôn amdano, ro'n i a Geraint yn hela llygod mawr mas yn ei ardd. Syniad Geraint oedd hyn. Roedd e wedi gweld llygoden fawr y diwrnod cynt, yn sgrialu o gwmpas y pwll nofio gwag, a meddyliodd y byddai'n syniad da ei dal a'i lladd. Allwn i ddim gweld y pwynt, fy hunan. Dim ond llygoden fawr oedd hi – pam na allen ni adael llonydd iddi? Doedd hi ddim yn gwneud niwed i neb, nac oedd?

'*Llygoden fawr* yw hi,' meddai Geraint. 'Dwyt ti ddim yn gadael llonydd i lygod mawr.'

'Pam lai?'

'Achos eu bod nhw'n *llygod mawr*, dyna pam. Pla ydyn nhw, sy'n cario afiechydon…'

'Pa fath o afiechydon?'

'Wn i ddim… afiechydon llygod mawr.'

'Dw i erioed wedi clywed am neb yn dal clefyd gan lygoden fawr.'

'Ie, wel… beth wyt *ti*'n ei wybod?'

Doeddwn i ddim yn gwybod sut i ateb hynny, felly codais fy ysgwyddau.

'Beth bynnag,' aeth yn ei flaen, 'nid dim ond llygoden fawr yw hon – mae'n fwystfil. Wir nawr, mae'n *anferth* – mor fawr â chath.'

'Efallai mai cath *yw* hi?'

'Dw i'n credu mod i'n gwybod y gwahaniaeth rhwng cath a llygoden fawr.'

'Wyt ti?'

Edrychodd arna i wedyn, ac roedd rhywbeth yn ei lygaid brown yn dweud wrtha i y byddai'n well imi gau fy ngheg. Roedden ni yn ei dŷ e, ei ardd e, ac os nad oeddwn i'n hoffi'r syniad o ladd llygoden fawr… wel, gallwn i fynd adref. A dyna'r peth rhyfedd, am wn i. *Gallwn* i fod wedi mynd adref. Gallwn i fod wedi dweud, 'Iawn, Ger, dw i'n credu mod i am fynd adref nawr. Wela i di'n nes 'mlaen – iawn?' Ac fe fyddai popeth *wedi* bod yn iawn. Fyddai dim ots ganddo fe. Fyddai dim ots gen i chwaith. Fyddai hynny ddim wedi golygu unrhyw beth i'r un ohonon ni.

Felly pam wnes i aros?

Dw i ddim yn gwybod…

Jest un o'r pethau 'na oedd e. Dyna sut mae pethau weithiau – rydych chi yn nhŷ rhywun arall, ac maen nhw'n gwneud rhywbeth sy'n gwneud ichi deimlo'n anghysurus, ac rydych chi'n gwybod yn eich calon y byddai'n well gennych chi beidio â bod yno, ond allwch chi ddim gorfodi'ch hun i wneud rhywbeth am y peth…

Beth bynnag, ddywedais i ddim byd wrth Geraint, dim ond edrych i lawr ar y llawr, ac aros i'r foment fynd heibio. Ac, ymhen ychydig, fe ddigwyddodd hynny. Clywais e'n sniffian unwaith neu ddwy, a phan edrychais i fyny, gwenodd arna i a rhygnu 'mlaen fel petai dim wedi digwydd.

'Ie,' meddai e, 'a'r peth yw, pan wyt ti'n gweld un llygoden fawr, rwyt ti'n gwybod y bydd 'na lawer mwy ohonyn nhw. Maen nhw'n bridio fel cwningod. Mae'n siŵr bod *cannoedd* ohonyn nhw o gwmpas fan hyn…'

Bridio fel cwningod? Meddyliais. Yn gyntaf, maen nhw mor fawr â chathod, a nawr maen nhw'n bridio fel cwningod? Pa fath o lygod mawr yw'r rhain? Ond cedwais fy meddyliau i mi fy hun. Nodiais, fel petawn i'n gwybod am beth roedd e'n sôn, a'i ddilyn e'n ôl i gefn y byngalo, ac i lawr i un o'r selerydd.

Allwn i byth ddeall pam roedd cymaint o ystafelloedd a selerydd dan ei dŷ. Allwn i ddim gweld unrhyw bwrpas iddyn nhw. Hyd y gwelwn i, eu prif ddiben oedd cuddio pentyrrau o sbwriel – sachau o hen hadau wedi pydru, bagiau o sment wedi caledu, cylchoedd o wifrau rhydlyd, cadeiriau heb goesau, hen fframiau beics... y math yna o beth. Roedd yn ymddangos yn rhyfedd i mi – cadw tunelli o hen sbwriel o dan eich tŷ – a bu bron imi holi Geraint am y peth unwaith. 'Hei,' ro'n i am ofyn, 'pam mae gen ti gymaint o selerydd sy'n llawn sbwriel?' Ond wnes i ddim mentro yn y diwedd, gan mod i'n ofni sut byddai'n ymateb.

'*Beth*?' Gallwn ei ddychmygu'n dweud. 'Pa fath o gwestiwn dwl yw hwnna? Beth sydd ganddo fe i'w wneud â ti, beth bynnag?'

Neu efallai dim ond – 'Y?'

Dyna'r peth gyda Geraint. Allech chi byth ddweud sut byddai'n ymateb i unrhyw beth. Weithiau, fe gaech chi chwerthiniad, weithiau sŵn tuchan, dro arall byddai'n gwneud dim byd ond rhythu gyda'i lygaid mawr brown. A dyna pam nad o'n i'n gofyn llawer o bethau iddo fe, mae'n siŵr. Nid bod arna i *ofn* gofyn pethau iddo fe, ond byddwn i'n meddwl – mae'n siŵr y bydd e'n gwgu'n grac arna i, felly beth yw'r pwynt gofyn cwestiynau iddo jest i gael gwybodaeth hollol ddibwys? Beth yw'r ots am y seler, beth bynnag? Seler yw hi, dyna i gyd. Dim ond seler.

A dyna 'ny.

*

Felly, dyna lle roedden ni yn yr hen seler lychlyd 'na – Geraint yn chwilota am drapiau llygod mawr, a finnau'n eistedd ar bentwr o hen bapurau newydd, yn ei wylio – ac mae'n rhaid imi gyfaddef, roedd hi'n eithaf cysurus yno. Yn oer ac yn dawel, a theimlad tanddaearol rhyfedd yn yr awyr – y math o deimlad sy'n gwneud ichi gredu bod gweddill y byd wedi diflannu.

Roedd golwg hollol hurt ar wyneb Geraint wrth iddo dyrchu drwy'r rwbel: ei lygaid wedi culhau, ei dalcen wedi rhychu, a'i drwyn yn gwingo. Roedd e'n edrych yn debyg i anifail penderfynol yn chwilio am damaid i'w fwyta.

'Ble ydych chi?' mwmialodd iddo'i hun, eto ac eto. 'Dewch 'mlaen, ble ydych chi? Dw i'n gwybod eich bod chi yma'n rhywle...'

Ond po fwyaf y byddai'n chwilio – yn tyrchu o gwmpas ac yn hyrddio pethau i'r naill ochr – y mwyaf llychlyd fyddai'r aer, ac ar ôl sbel, roedd y seler yn llawn o darth trwchus llwydaidd. Gallwn i flasu'r llwch yng nghefn fy ngwddf, a'i deimlo'n llenwi fy nhrwyn. Roedd yr arogl yn eithaf dymunol, a dweud y gwir – yn hen a phriddlyd a chynnes. Ac wrth imi eistedd yno, yn anadlu'r llwch a'r awyr tanddaearol, gallwn i fod wedi cau fy llygaid yn rhwydd, a phendwmpian am ychydig.

Ond yna, clywais sŵn metel caled yn diasbedain, a llef sydyn o 'Dyma nhw!' a chwalwyd y foment o heddwch. Rhythais drwy'r llwch i weld Geraint yn tyrchu mewn bocs cardbord, yn cydio yn rhywbeth â'i ddwy law.

Sythodd a throdd tuag ataf i, gyda gwên fuddugoliaethus ar ei wyneb a hen drapiau llygod mawr yn hongian o'i ddwylo.

'Edrycha ar y rhain!' meddai'n llawn cyffro, gan chwifio'r trapiau o'm blaen. 'Beth wyt ti'n ei feddwl? Wyt ti erioed wedi gweld unrhyw beth fel y rhain? Edrycha pa mor *fawr* ydyn nhw!'

'Ydyn,' cytunais, 'maen nhw'n eithaf mawr.'

Ac roedden nhw'n wirioneddol fawr. Dychmygwch drap llygod – un henffasiwn sy'n clecian ac yn torri pen y llygoden i ffwrdd – ac yna dychmygwch sut byddai'n edrych petai bedair gwaith yn fwy... wel, dyna beth oedd gan Geraint yn ei ddwylo. Pethau cas, creulon, hyll yr olwg oedden nhw.

'Mae 'na lwythi ohonyn nhw, edrycha,' meddai Geraint, gan blygu i lawr wrth y bocs cardbord eto. 'Mae'n siŵr bod tua dwsin yma.' Daeth fflam beryglus i'w lygaid wrth iddo godi'r bocs. 'Dere, awn ni mas o fan hyn. Cer â'r trapiau i lawr at y pwll ac fe a i i nôl bara.' Edrychodd arna i. Doeddwn i ddim wedi symud. 'Dere *'mlaen,* beth sy'n bod arnat ti? Wyt ti am ddal llygod mawr ai peidio?'

Codais ar fy nhraed, a'i ddilyn allan o'r seler.

Dw i ddim yn siŵr am beth ro'n i'n meddwl wrth sefyll ger y pwll gwag, yn aros i Geraint ddod 'nôl gyda'r bara. Efallai imi bendroni dros beth ro'n i'n ei wneud yno – yn sefyll wrth ochr pwll nofio gwag a bocs cardbord yn llawn trapiau llygod mawr wrth fy nhraed – ond mae'n siŵr na wnes i. Mae'n siŵr na wnes i ddim byd ond sefyll yno, yn edrych o gwmpas, yn meddwl am ddim byd mewn gwirionedd, dim ond edrych o gwmpas ac aros i Geraint ddod 'nôl…

Alla i ddim cofio'n iawn. Dim ond eiliad arall oedd hi, chi'n deall? Eiliad arall, diwrnod arall, rhan arall o fywyd…

Doedd e'n golygu dim.

Pam ddylai e olygu unrhyw beth?

Pan ddaeth Geraint yn ôl, gan hanner rhedeg ar draws yr ardd, roedd e'n cario cwdyn o fara gwyn wedi'i dorri'n dafelli yn ei law.

'Dylai hyn weithio,' meddai, gan ysgwyd y bara o'm blaen.

'Ydi llygod mawr yn hoffi bara?' holais. 'Ro'n i'n meddwl eu bod nhw'n hoffi caws.'

'Llygod yw'r rheina. Mae llygod mawr yn hoffi popeth. Maen nhw'n hollddysion.'

'Hollysyddion,' meddwn, gan ei gywiro.

'Beth?'

'Hollysyddion. Mae anifeiliaid sy'n bwyta popeth yn cael eu galw'n hollysyddion.'

'Dw i'n gwybod – dyna *ddywedais* i.' Ysgydwodd ei ben arna i, fel petawn i'n dwpsyn. Yna, agorodd y cwdyn bara, a chydio mewn tafell.

TAIR AR DDEG

Gwyliais e'n plygu i lawr ac yn cymryd un o'r trapiau llygod mawr o'r bocs. 'Mae'n rhaid iti wylio dy fysedd,' meddai, wrth roi abwyd o fara yn y trap. 'Collodd ffrind Dad ei fawd wrth roi abwyd yn un o'r rhain.'

Codais fy llaw ac ysgwyd fy mysedd o flaen fy wyneb, gan geisio dychmygu fy hunan heb fawd. Rhedodd ias i lawr f'asgwrn cefn.

'Reit,' meddai Geraint, 'dyna'r un cyntaf yn barod. Un ar ddeg arall i fynd.'

Wnes i ddim gosod unrhyw drapiau fy hunan, dim ond dilyn Geraint o gwmpas yr ardd – yn cario'r bocs, yn pasio'r trapiau iddo, yn paratoi'r bara ac yn gwrando ar yr hyn oedd ganddo i'w ddweud. Roedd yn ei weld ei hun yn brif ddaliwr llygod mawr, dw i'n credu... ac yn fy ngweld innau'n brentis iddo, siŵr o fod.

'Y peth ydi,' meddai wrtha i, 'dwyt ti ddim eisiau rhoi'r trapiau'n rhy agos at ei gilydd, achos dydi llygod mawr ddim yn dwp. Pe baen ni'n dal un ohonyn nhw a'r lleill yn ei gweld yn gorwedd yno'n gelain, bydden nhw'n dechrau teimlo'n ddrwgdybus. Wyt ti'n deall? Bydden nhw'n dechrau meddwl bod rhywbeth yn digwydd...'

'Bydden nhw'n amau bod drwg yn y caws... neu'r bara,' awgrymais.

'Ie,' meddai, heb ddeall yr idiom, 'maen nhw'n gallu arogli pethau filltiroedd i ffwrdd. Maen nhw'n gallu gweld yn y tywyllwch hefyd. Fel y dywedais i wrthot ti, dydyn nhw ddim yn dwp.'

Gwnaeth i hyn swnio fel petai'n rheswm dros eu lladd.

'Faint o fara gennem gyda ni ar ôl?' gofynnodd imi.

Edrychais i mewn i'r cwdyn. 'Hanner tafell.'

'Rho fe i fi.'

Rhoddais y darn olaf o fara iddo. Unwaith eto, rhwyg-odd y bara â'i ddannedd, a chnoi un hanner ohono am funud, cyn ei boeri mas a'i rolio'n belen.

'Wyt ti eisiau hwn?' gofynnodd, gan gynnig y darn heb ei gnoi i mi.

'Ym... na, diolch,' meddwn wrtho.

'Wyt ti'n siŵr? Does dim byd o'i le arno fe.'

Gwenais ac ysgwyd fy mhen.

'Iawn 'te,' meddai, gan godi ei ysgwyddau a rhoi'r darn o fara yn ei geg, cyn mynd ati i baratoi'r trap olaf. 'Dim pwynt ei wathtraffu.'

Ar ôl paratoi'r trapiau a'u gosod ar draws yr ardd, aethom i mewn ac aros. Mae'n anodd cofio beth yn union wnaethon ni tra oedden ni'n aros. Dw i'n cofio dilyn Geraint ar hyd y ddrysfa o dwnneli i'w ystafell, felly mae'n rhaid ein bod wedi treulio rhywfaint o amser yno, ond wn i ddim beth yn union wnaethon ni. Dim llawer, siŵr o fod. Efallai inni wneud y pethau arferol – ymlacio, edrych ar wahanol bethau, chwarae ambell gêm ar y cyfrifiadur. Roedd gan Geraint un o'r gêmau pêl-droed cyfrifiadurol 'na – nid un o'r rhai fel gêm bêl-droed, ond un o'r rheiny lle rydych chi'n rheolwr ac yn dewis eich chwaraewyr ac yn gwneud yn holl drosglwyddiadau ac ati. Weithiau, byddai'n ei chwarae pan fyddwn i yno, ac roedd hynny'n ddiflas iawn i mi oherwydd byddai'n gwneud dim byd ond eistedd o flaen ei gyfrifiadur am oriau, yn chwilio drwy restri o chwaraewyr.

'Be ti'n neud?' byddwn yn gofyn iddo.

'Y?'

'Be ti'n neud?'

'Dw i'n trio prynu olwr canol troed dde, am lai na hanner miliwn.'

'O,' fyddai fy ateb i.

A dyna fel y byddai hi.

Felly, efallai mai dyna'r hyn a wnaethon ni wrth aros yn ei ystafell. Efallai imi eistedd yno, yn esgus darllen cylchgrawn tra oedd Geraint yn ceisio prynu olwr troed dde canol am lai na hanner biliwn... neu efallai ddim. Fel y dywedais i, alla i ddim cofio'n iawn.

Ond dw i'n eithaf siŵr, ymhen ychydig, inni fynd i lawr i'r gegin i gael bisgedi a sudd. Yn gyntaf, gan mai dyna fydden ni'n ei wneud fel arfer. Ac yn ail, achos fy mod i'n cofio gweld mam Geraint y diwrnod hwnnw, a fyddwn i *byth* yn ei gweld hi yn unman heblaw'r gegin.

Menyw fach ddoniol oedd Mrs Gwilym – un eithaf eiddil ac ofnus, a phrin y byddai hi'n dweud unrhyw beth. Hyd yn oed wrth roi bisgedi a sudd i ni, fyddai hi byth yn dweud gair. Dim ond brysio o le i le, gan wenu'n betrusgar. Roedd hi fel petai'n treulio llawer o amser yn gwneud hynny. Rywsut, un brysiog oedd tad Geraint hefyd. Roedd e wastad yn gwisgo oferôls glas, ac roedd e wastad yn edrych yn brysur, ond welais i erioed mohono'n gwneud unrhyw beth mewn gwirionedd. Roedd gan Geraint frawd hŷn hefyd – cwlffyn hyll o'r enw Ianto. Alla i ddim meddwl am lawer o bethau i'w dweud amdano fe. Roedd ganddo fola tew a phen tew, ac roedd yn meddwl ei fod e'n glyfar, ond doedd e ddim.

Ond o leiaf doedd e ddim yn brysio i bob man.

Tua awr yn ddiweddarach oedd hi, mae'n rhaid, pan es i a Geraint 'nôl allan i edrych ar y trapiau. Roedd blas bisgedi rhad a sudd oren dyfrllyd yn fy ngheg o hyd, ac ro'n i bron â marw eisiau'r tŷ bach. Ond roedd Geraint ar frys – 'Dere, dere 'mlaen, awn ni nawr…' – a meddyliais i, pe bawn i'n mynd i'r tŷ bach, byddwn i'n siŵr o fynd ar goll eto. Felly cnoais fy ngwefus a dilyn Geraint wrth iddo sgrialu mas i'r ardd. Allai e ddim aros i gyrraedd y trapiau. Roedd e'n sboncio o gwmpas yn wyllt, fel plentyn bach ar fore Nadolig, a'i lygaid yn blincio ac yn gwingo'n ddi-baid. Roedd e'n codi ofn arna i, a dweud y gwir. Ro'n i'n dechrau meddwl ei fod e damaid bach yn wallgof.

'Faint o lygod mawr sydd gennym ni, ti'n credu?' meddai. 'Pedair? Chwech? Deg? Beth wyt ti'n ei feddwl?'

Roedd gen i deimlad ei fod e'n siarad â fo'i hunan, felly wnes i ddim trafferthu ateb.

TAIR AR DDEG

Gallwn i weld y rhan fwyaf o'r trapiau nawr. Gallwn i weld Geraint o'm blaen, yn brysio draw at yr un agosaf.

'Iawn,' meddai, a'i wynt yn ei ddwrn, 'dyma ni'n mynd, dyma ni'n mynd... beth am weld faint sydd gennym ni.'

Gwelais Geraint yn sefyll wrth y trap ac yn edrych i lawr arno, a theimlais ryw fath o lonyddwch yn yr awyr. Yna, ro'n i'n cerdded wrth ei ochr ac yn edrych i lawr ar yr hyn wnaethon ni... a dw i ddim yn credu y gwna i byth anghofio'r peth. Yn gorwedd wrth ein traed, a'i wddf bron wedi'i dorri'n llwyr gan y trap pwerus, roedd aderyn y to. Roedd un o'i adenydd yn estyn yn gam i'r awyr, a'i big yn llydan agored mewn sgrech fud.

'Iesu,' meddai Geraint, gan edrych o gwmpas ar y trapiau eraill.

Ac yna dechreuodd chwerthin.

Roedd yna aderyn y to yng ngenau pob un o'r trapiau. Deuddeg trap – deuddeg aderyn y to yn gelain... eu pigau bach brown yn berlau o waed, a'u plu difywyd yn siffrwd yn y gwynt.

Teimlais rywbeth yn marw tu mewn i fi'r eiliad honno.

Alla i ddim esbonio'r peth.

Ro'n i'n teimlo mor ofnadwy...

Mor euog, mor dwp, mor blentynnaidd...

Ond dw i'n credu mai'r hyn wnaeth imi deimlo hyd yn oed yn waeth oedd fy anwybodaeth. Ro'n i'n gwybod o'r dechrau ein bod ni'n ceisio lladd llygod mawr, ond dim ond ar ôl inni ladd deuddeg aderyn y to y gwnes i sylweddoli beth yn union roedden ni'n ei *wneud.*

Ro'n i'n casáu fy hun am hynny.

Ro'n i'n casáu beth wnaethon ni.

Ac ro'n i'n casáu Geraint, a'i lygaid brown dwl.

Roedd e'n dal i sefyll wrth fy ochr, yn dal i bwyntio at y trapiau, yn dal i chwerthin a thuchan a rhochian fel gwallgofddyn...

Ro'n i'n teimlo'n sâl.

Allwn i ddim siarad.

Troais, a cherdded i ffwrdd.

A dyna'r tro olaf imi weld Geraint Gwilym. Rai wythnosau'n ddiweddarach, pan oedd e'n rasio ei feic i lawr rhiw yn y pentref, fe gollodd reolaeth a tharo i mewn i lorri oedd yn dod tuag ato. Doedd dim bai ar neb, dim ond anffawd oedd hi – damwain, trasiedi, ffawd...

Beth bynnag oedd yr achos, bu farw Geraint yn syth.

Ac wn i ddim sut dw i'n teimlo am y peth, hyd heddiw.

Tair ar Ddeg Dwbl

gan Eleanor Updale

Addasiad gan Bethan Mair

Tair ar Ddeg Dwbl

NOS IAU, 12 CHWEFROR: 10.30 yh.

Rwy'n gwybod mod i wedi addo peidio â dechrau'r dyddiadur hwn tan yfory. I nodi'r Flwyddyn Newydd. Nid i bawb, wrth gwrs. Dim ond i fi ac i un neu ddau o drueiniaid bach eraill fydd yn cael eu penblwyddi ar ddydd Gwener y trydydd ar ddeg. Diwrnod mwyaf anlwcus y flwyddyn. Fe wnes i weithio fe mas ar y cyfrifiadur yn yr ysgol. Mae'n eitha prin, mae'n debyg. Dim ond dau ddydd Gwener y trydydd ar ddeg sydd 'na eleni. Does gan yr un flwyddyn fwy na thri. Oherwydd blynyddoedd naid, fe allwch chi fynd am flynyddoedd heb gael pen-blwydd ar ddydd Gwener. Dyw e ddim mor annhebygol ag ennill y loteri, ond mae'n debyg taw dim ond rhyw ddwsin o benblwyddi gewch chi ar ddydd Gwener gydol eich oes. Ac rydw i'n cael un ohonyn nhw yfory. Ymhen awr a hanner. Mi fydda i'n dair ar ddeg oed ar ddydd Gwener y trydydd ar ddeg o Chwefror. Tair ar ddeg dwbl. Anlwc dwbl.

Mae'n beth mawr, bod yn dair ar ddeg. Yn *teenager*. Mae Mam wedi dechrau gwneud sbort am y peth yn barod. Roedd hi'n tynnu 'nghoes i'n fwriadol heno. Y cyfan wnes i oedd taflu fy mhwdin yn y bin ar ôl i Catrin ddweud ei fod yn llawn o galorïau.

'Www www,' meddai Mam, yn y llais llafarganu undonog 'na y bydd rhieni'n ei ddefnyddio i dynnu arnoch chi. 'Www www. Gofidiau glaslencyndod!'

Wel, wrth gwrs, allwn i ddim peidio â martsio o 'na a chau'r drws yn glep ar ôl peth fel'na. Ro'n nhw'n meddwl mod i wedi mynd. Ro'n nhw'n meddwl nad o'n i'n gallu'u clywed nhw'n chwerthin am fy mhen i yn y gegin.

'O Dduw,' meddai Catrin. 'Dyna sut fydd hi ar ôl fory? Saith mlynedd o sterics?'

Beth mae hi'n ei wybod am unrhyw beth? Dim ond wyth yw hi. Mae hi'n denau heb drïo, fel ro'n i bryd hynny. Dyw hi ddim yn gwybod faint mae'n brifo. Rwy'n gwybod mod i'n dew. Rwy'n gallu teimlo popeth yn jiglo pan fydda i'n cerdded. Dyna pam na fydda i'n rhedeg. Mae'r cyfan yn bownsio bryd hynny, ac rwy'n gwybod bod pawb yn chwerthin am fy mhen. Hyd yn oed y rhai sy'n dweud mod i'n normal. Ond mae hynny am eu bod nhw'n edrych ar bethau fel fy mysedd ofnadwy – maen nhw fel brigau cnotiog. Neu fy ngwddf – mae modd gweld yr esgyrn yn fy ysgwyddau. Ych a fi. Ond allwch chi ddim gweld f'asennau. Oni bai mod i'n tynnu anadl ddofn. A byth drwy grys-T.

Do'n i ddim am iddyn nhw wybod mod i wedi bod yn gwrando tu fas i'r gegin, felly fe ddes i i'r llofft a chael bath cyn mynd i'r gwely. Ro'n i ar lwgu wedyn, a doedd dim gobaith syrthio i gysgu. Felly, es i lawr star ac estyn bwyd i mi fy hun. Ychydig o jeli a llwyaid o *mousse* siocled, gyda thipyn bach o'r hufen 'na sy'n cael ei chwistrellu o dun ar ei ben. A dyna pam mod i'n ysgrifennu'r dyddiadur yma. Fe wnes i sylweddoli cyn gynted ag y des i 'nôl yma beth ro'n i'n ei wneud. Dw i wedi darllen am y peth. Bwlimia yw e, ontefe? Gorfwyta. Un rhan o'r holl beth *teenager* yma. Mae e'n dechrau'n barod. Bydd yn rhaid i mi ei wrthsefyll. Mae'r bowlen fan hyn ar y llawr, wrth y gwely, a dw i ddim yn mynd i'w chyffwrdd. Dw i ddim yn mynd i edrych arni, hyd yn oed. Rwy'n mynd i'w hanwybyddu. Dyna pam dw i wedi dechrau ysgrifennu'r dyddiadur yma'n gynnar, er mwyn symud fy meddwl oddi ar fwyd. I nodi bod tair ar ddeg wedi cyrraedd ychydig oriau'n rhy gynnar. Rwy'n mynd i wneud fy ngorau i ysgrifennu bob dydd. I ddweud sut deimlad ydi e go iawn i fod yn dair ar ddeg. Wedyn, os bydda i'n cael merch, mi fydda i'n gallu darllen y cwbl yn ôl a dwyn i gof sut deimlad oedd e. A fydda i ddim yn dweud jôcs hurt, ansensitif sy'n gwneud pobl yn grac ac yn eu gorfodi nhw i weithredu yn yr un ffordd yn union ag y bydde rhywun yn disgwyl i *teenagers* wneud, er nad ydyn nhw ddim.

A ta beth, mae hon yn mynd i fod yn flwyddyn fawr i mi. Nid dim ond tair ar ddeg fydda i. Mi fydda i'n dair ar ddeg ar ddydd Gwener y trydydd ar ddeg. A dweud y gwir, does dim gobaith i mi.

Fe alla i ddychmygu sut fydd hi. Dw i wedi gweld y lleill yn yr ysgol. Rwy'n eu copïo nhw. Chi'n gwybod, mae 'na rai pethau y mae'n rhaid i chi ymdrechu i'w gwneud. Dy'ch chi ddim eisiau bod yn fwlsyn. Mae pobl fel Mam yn chwerthin am ben *teenagers*, ond dydyn nhw ddim yn deall nad oes dim dewis gyda ni. Ydi Mam eisiau i mi fod yn gyff gwawd? Rhaid i fi wneud beth mae'r lleill yn ei wneud. Rhaid i fi fod yr un peth. Er mod i'n wahanol. Yn enwedig am fy mod i'n wahanol.

Rwy'n anlwcus.

Wel, falle y bydd pawb yn yr ysgol yn fy nghasáu i beth bynnag. Fel maen nhw'n casáu'r bachgen 'na ym Mlwyddyn Naw, yr un â'r ffidil. Chi'n gwybod, mae e'n ymarfer amser cinio! Yn un o'r stafelloedd arbennig 'na ar y coridor Cerdd. Ac mae'i fam yn mynd â fe i bobman yn y car. Mae hi'n parcio reit tu fas i'r ysgol, ar y llinellau melyn. Ac mae hi'n ei gusanu! Fan'na. Ar y stryd. O flaen pawb. Ac yn y cyngerdd Nadolig, buodd hi'n siarad am oesoedd gyda'r athrawon i gyd. Fe wnaeth hi alw Mr Llywarch yn 'Rhidian'. O flaen pawb, yng nghlyw pawb. A gadawodd hi iddo fe gyffwrdd â'i braich. Fe wnaeth pawb weld.

Ro'n ni ar y llwyfan, ar ben cadeiriau a blociau, yn aros i ganu'r gân hurt 'na sy'n gasgliad o hwiangerddi. Wel, rwy'n dweud canu ond, wrth gwrs, dim ond symud fy ngheg fydda i. Dyw Mr Llywarch ddim yn gwybod am hyn. Rwy'n well am symud fy ngheg na hanner y sêr pop welwch chi ar y teledu. Mae'r bachgen ffidil a phlant tebyg iddo fe'n canu. Mae hyn mor *embarrassing*. O leia fe lwyddais i osgoi dweud wrth Mam am y cyngerdd nes ei bod hi'n rhy hwyr iddi hi allu newid ei sifftiau yn y gwaith, felly doedd hi ddim yn gallu dod. Doedd dim rhaid i mi fecso y bydde hi'n tynnu sylw ata i trwy godi'i llaw neu drwy wneud rhywbeth tebyg. Ond roedd y cyfan yn dal yn hunlle. Wir i chi, hwiangerddi! Beth maen nhw'n meddwl ydyn ni? Plant? Does ganddyn nhw ddim syniad. Hyd yn oed pe bydden nhw'n sylweddoli pa mor aeddfed ydyn ni, bydden nhw'n gwneud pethau'n waeth. Ein gorfodi i ganu hen ganeuon pop neu rywbeth. Fel Blwyddyn Deg yn y cyngerdd 'na. Wir i chi, plant yn canu 'Ysbryd y Nos'! Base hyd yn oed y boi a ysgrifennodd y peth yn sylweddoli pa mor ofnadwy yw e – y gân yn cael ei chanu gan gôr ysgol, mor stiff â phren. Ond roedd Mr Llywarch yn gwenu fel giât, yn meddwl 'i fod e mor cŵl neu rywbeth. Fe allwch chi ddyfalu sut un oedd e yn yr ysgol. Fel y bachgen ffidil. Fetia i bod ei fam e'n arfer codi'i llaw mewn cyngherddau. Dal i wneud, siŵr o fod. Dal i brynu'i ddillad ar ei ran hefyd, fetia i. A nawr dyma'i Rhidian bach hi, yn oedolyn, a dal yn llipryn, yn gwenu a phiffian chwerthin fel rhyw rebel am ei fod e'n canu hen ganeuon pop mewn ysgol. Roedd hi'n ddigon o gywilydd i *wylio* Blwyddyn Deg yn ei wneud e. Meddyliwch sut brofiad oedd e i fod ar y llwyfan. Cam-drin plant.

*

Felly dyna pa mor ddrwg yw pethau nawr. Dyna beth yw bywyd cyn tair ar ddeg dwbl. Mae hi'n ddigon tywyll yn barod, hyd yn oed heb y label *teenager* a'r anlwc ddaw yn sgil fory. A galla i ddychmygu sut fydd hwnna. Dyma ddiwrnod arferol yn fy mywyd newydd. Rwy'n mynd i ysgrifennu am y ffordd rwy'n meddwl y bydd pethau. A gyda llaw, mae ysgrifennu'r dyddiadur hwn yn gweithio. Dw i heb gyffwrdd â'r bwyd yn y bowlen. Felly…

DIWRNOD YN Y DYFODOL: YM MLWYDDYN TAIR AR DDEG DWBL

Rwy'n codi. Rwy wedi cysgu'n hwyr am fod batri'r cloc larwm cachu ges i gan Catrin yn anrheg Nadolig wedi marw. Wir i chi, pam nad yw Mam byth yn cofio prynu batris? Dyw hynny ddim mor anodd. Ta waeth, mae'n gas gen i'r cloc 'na. Mae ganddo lun o *HOGIAMEGA* ar yr wyneb. Mae'r bysedd yn dod at ei gilydd reit dros ben trwyn Tudur. Rwy'n meddwl mai er mwyn tynnu arna i y prynodd Catrin y cloc. Roedd hi'n gwybod mai Tudur oedd fy ffefryn, er mod i'n dechrau colli diddordeb ynddyn nhw'n barod erbyn hynny, a doedd hi ddim yn syndod i mi pan chwalon nhw ym mis Ionawr, ar ôl y ffrae gyda'r rheolwr a'r record ofnadwy 'na wnaeth ond cyrraedd rhif 12 yn y siartiau.

Felly, rwy'n hwyr yn barod, ac rwy'n anghofio fy ngwaith cartref Daearyddiaeth (ac rwy wedi'i *wneud* e, gyda llaw, er nad yw Mrs Evans yn fy nghoelio, ac rwy'n gorfod aros i mewn i'w wneud e unwaith eto ar ddarn o bapur i'w lynu yn y llyfr, gan ddinistrio pob tystiolaeth mod i wedi'i wneud e'n barod). Am fy mod i'n hwyr dw i wedi colli'r bws ysgol, a dw i ar fws arall gyda llwyth o lembos ac mae'n rhaid i fi gerdded i mewn drwy glwyd yr ysgol gyda nhw. Ac mae Carwyn, bachgen lysh ym Mlwyddyn Naw, yn fy ngweld i'n mynd gyda nhw, ac mae e'n meddwl mod i'n ffrindiau gyda nhw. Ac mae pethau'n mynd o ddrwg i waeth, oherwydd mae'r athro'n rhoi Dyletswydd i mi am fod yn hwyr, sef dosbarthu'r llyfrau emynau yn y gwasanaeth, a nawr mae Carwyn yn meddwl mod i'n un o Griw Duw hefyd, felly dyna'i diwedd hi fan'na. A dw i'n eistedd adeg y weddi, yn dweud hyn wrth Sara, pan mae'r Pennaeth yn fy ngweld i'n siarad, ac yn fy ngorfodi i sefyll ar fy nhraed o flaen pawb ac ailadrodd beth ro'n i'n ei ddweud. Ac alla i ddim meddwl beth i'w ddweud. Felly mae e'n ceisio bod yn ffraeth ac yn dweud (yn y llais 'na sydd ganddyn nhw er mwyn gwneud i ni edrych yn dwp), 'Efallai mai gwneud sylw am y darn yr oeddwn i'n ei ddarllen yr oeddech chi. Am beth oedd y darn yn sôn?'

Wrth gwrs, do'n i ddim yn gwrando, felly dyma fi'n meddwl ei fod e am y stwff arferol, Duw Cariad Yw, neu rywbeth tebyg, a mentro dweud 'Cariad, Syr.'

Ac mae pawb yn chwerthin. A dw i'n gwybod mod i wedi dewis y peth gwaetha oll, oherwydd mae'r Pennaeth ar gefn ei geffyl nawr ac yn dweud yn sych, 'Gallwch drafod eich bywyd carwriaethol ar y buarth! Ond nid heddiw. Heddiw, gallwch eistedd y tu allan i'm swyddfa i mewn distawrwydd amser egwyl.' Ac er nad yw e'n dweud y geiriau, gwn ei fod e'n meddwl, *'Tra bod pawb arall yn siarad amdanat ti ar y buarth. A byddan nhw i gyd yn meddwl dy fod ti'n ffansïo un o'r lembos 'na oedd gyda ti'r bore 'ma.'* A fydda i ddim yno i ddweud eu bod nhw'n anghywir, a bai'r cloc larwm hurt 'na gyda *HOGIAMEGA* arno fe ydi hyn. A falle mod i'n dweud hynny'n uchel ar ddamwain, ac mae rhywun yn clywed ac yn dweud wrth bawb mod i'n dal i hoffi *HOGIAMEGA*, er nad ydw i mwyach, ac nad o'n i erioed mewn gwirionedd. A thrwy'r bore, mae pawb yn hymian y gân 'na ac yn gwneud y symudiadau hurt oedd yn y fideo. Ac mae rhywun yn dweud ei bod hi'n rhyfedd mod i'n gwybod pob un symudiad. Ac mae'n wir, fe wnes i 'u dysgu nhw, ond dim ond fel jôc, a nawr maen nhw'n gwneud i'r peth swnio fel taswn i wir yn hoffi *HOGIAMEGA*, ac yn dal i wneud hynny, er bod pawb yn gwybod eu bod nhw'n anobeithiol. Ac mae'r anlwc yn parhau oherwydd mae Carwyn o Flwyddyn Naw yn pasio wrth i hyn ddigwydd, ac mae'n clywed popeth ac yn cilwenu'n nawddoglyd arna i. Felly rwy'n rhoi pwniad i un o'r merched sy'n chwerthin a, rhagor o anlwc, mae Mr Morgan yn dod rownd y gornel wrth i'm modrwy (nad ydw i i fod i'w gwisgo, ac na fydde ar fy mys taswn i wedi cael amser i'w thynnu cyn rhuthro i'r ysgol y bore 'ma) grafu ei boch ar ddamwain a dw i'n cael fy martsio ar garlam yn ôl i swyddfa'r Pennaeth, sy'n rhoi Sgwrs Ddifrifol Iawn i mi ac sy'n fy ngwneud i'n hwyr i ginio, felly rhaid i mi eistedd gyda'r plant sgwâr sy'n cael brechdanau, a dw i'n eistedd ar bwys y bachgen ffidil sy'n bwyta bara cyflawn cartre, a dw i eisiau marw achos bydd pobl yn meddwl mod i'n eistedd yno'n fwriadol a mod i'n ei ffansïo fe.

Felly mae hi ar ben arna i beth bynnag, ond mae f'anlwc yn gwaethygu, ac mae fy mislif yn dechrau ynghanol Mathemateg Dwbl, a dw i ddim wedi sylweddoli nes i mi glywed pobl yn chwerthin tu ôl i mi ar ôl i mi godi ar ddiwedd y wers â phatshyn coch ar fy sgert. Ac maen nhw'n fy anfon i weld y nyrs sy'n dangos cydymdeimlad tuag ata i, sef y rhan waethaf oll, ac mae hi'n rhoi benthyg hen drowsus rhedeg i mi i'w wisgo i fynd adre, felly bydd hyd yn oed y bobl nad ydyn nhw'n yn fy nabod, a heb gael cyfle i 'nghasáu i eto, yn meddwl mod i'n hoffi chwaraeon a mod i mewn rhyw fath o *dîm* neu rywbeth, a dyna hi ar ben arna i gyda nhw hefyd, a dw i ddim hyd yn oed adre eto, a heb gwrdd â'r holl anlwc fydd yn disgwyl amdana i yno.

DYDD IAU, 12 CHWEFROR: 11.15 yh.

Felly dyna sut fydd hi i mi ym mlwyddyn tair ar ddeg dwbl. Ond dw i wedi datrys rhywbeth arall. Dw i'n mynd i gael ychydig yn rhagor o anlwc ar ddiwedd y flwyddyn. Mae eleni'n flwyddyn naid, iawn, felly yn lle bod y ddau ben-blwydd nesaf sydd gen i yn mynd i fod ar y pen-wythnos (fel y galla i eu mwynhau nhw gartre yn lle yn yr ysgol), wyddoch chi beth? Bydd y diwrnod ychwanegol yn y flwyddyn naid yn gwthio 'mhen-blwydd i'n bedair ar ddeg i ddydd Sul. Pan fydda i'n bymtheg, mi fydd hi'n ddydd Llun. Dydd Llun oer, gaeafol. Dyw hi ddim yn deg.

Ydych chi'n meddwl y daw'r anlwc i ben ymhen blwyddyn, wrth i mi gyrraedd pedair ar ddeg ar y dydd Sul cyffredin yna? Wel, hyd yn oed os daw e i ben, mae gen i newyddion i chi. Ydych chi'n fy nghofio i'n sôn mod i wedi edrych ar y calendr ar y cyfrifiadur? Wel, dyfalwch pryd fydd fy mhen-blwydd nesaf ar ddydd Gwener y trydydd ar ddeg? Ar fy mhen-blwydd yn ddeunaw. Felly mi fydda i'n cychwyn bywyd fel oedolyn yn anlwcus. Ond mae'n waeth na hynny. Rwy'n gwybod pryd y bydda i'n marw. Ar fy mhen-blwydd i'n bedwar ugain. Mae'n ormod o gyd-ddigwyddiad. Mae pob un o'r dyddiadau mawr yn ddyddiadau anlwcus. Tair ar ddeg, deunaw, pedwar ugain. Dyna'r drefn. Mae 'na rywun i fyny fan'na sydd ddim yn hoff ohona i.

Gwell i mi gysgu.

11.25 yh.
Dim ffasiwn lwc. Dw i yma o hyd. Yn dal i feddwl am fory. Am yr anlwc. Falle ei fod wedi dechrau'n barod. Mi fydda i wedi blino cymaint fory fel na fydd modd i mi wneud dim yn iawn, a bydd pawb yn fy nghasáu i. Fe ddarllenais mewn cylchgrawn sut y bydd eich croen yn mynd yn llwyd ac yn llipa os na chewch chi ddigon o gwsg. Mae eich llygaid yn mynd yn bŵl. Falle y caf i wythiennau bach cochion arnyn nhw fel Mrs Morris, y wraig â'r tripledi. Fe ddywedodd hi wrtha i nad yw hi wedi cael noson dda o gwsg ers dwy flynedd. Pan oedd hi'n plygu dros y goetsh y diwrnod o'r blaen, gallwn weld bod ei gwallt wedi mynd yn denau.

Felly mi fydda i'n flinedig ac yn hyll.

Ac yn foel.

Rwy'n diffodd y golau.

11.30 yh.
Dw i yma o hyd. Yn yr un cylchgrawn, roedd e'n dweud bod modd i chi fynd i gysgu drwy ysgrifennu'r amser bob pum munud – bod yr ymdrech i aros ar ddi-hun yn gwneud i chi gysgu. A phan fyddwch chi'n deffro yn y bore, gallwch edrych ar eich nodiadau a gweld yn union pryd aethoch chi i gysgu. Mae'n debyg bod pobl sy'n methu cysgu'n rheolaidd yn cael mwy o gwsg na'r hyn maen nhw'n ei feddwl. 'Mond eu bod nhw'n rhy flinedig i weld hynny neu rywbeth.

Felly, mae hi nawr yn 11.32. Mi fydda i 'nôl am 11.37.

11.37 yh.
Dal ar ddi-hun.

11.42 yh.
Dim lwc eto.

11.50 yh.
Rhaid mod i wedi pendwmpian fan'na am eiliad! Ond dyma fi, 'nôl eto. Ac mae hi bron yn hanner nos. Man a man i mi aros yn effro nawr i groesawu diwrnod fy mhen-blwydd. Dw i am fynd i'r tŷ bach ac yna mi ddof yn ôl i'r gwely i weld pa anlwc fydd gan y duwiau i mi. Fetia i y bydd y nenfwd yn disgyn am un munud wedi hanner nos.

NOS WENER, 13 CHWEFROR: 7 yh.

Wel, doedd dim angen i mi aros tan 12.01. Doedd dim angen i mi aros tan i ddydd Gwener y trydydd ar ddeg gychwyn yn swyddogol, fel y digwyddodd hi. Ydych chi'n cofio'r bowlen o jeli a mousse siocled oedd ar y llawr? Doeddwn i ddim. Rhois fy nhroed yn ei chanol. Disgyn a thorri fy mhigwrn. Poen dirdynnol. Ond mae'r Adran Ddamweiniau'n reit wag ynghanol y nos. Mae hynny'n werth ei gofio os ydych chi'n cynllunio cael damwain rywbryd.

Cafodd pawb lawer o hwyl pan welson nhw fy nyddiad geni.

'Tair ar ddeg ar ddydd Gwener y trydydd ar ddeg!' meddai'r meddyg. 'Dw i ddim yn ofergoelus, ond dwyt ti heb wastraffu llawer o amser wrth geisio profi fy mod i'n anghywir!'

Roedd Mam yn garedig, cofiwch, o ystyried bod jeli, siocled a hufen dros y carped, a bod yn rhaid iddi hi fy ngyrru i i'r ysbyty ynghanol y nos. Ac fe ges i ddewis lliw'r plaster ar fy nghoes. Mae e'n las. Hynod o cŵl. Fe alwon ni yn yr ysgol y bore 'ma a daeth pawb i fy ngweld, ac arwyddo'r plaster gyda ffelt pens. Mae gen i ffyn baglau hefyd. Roedd rhai o'r merched yn syllu arna i'n llawn eiddigedd. Dw i erioed wedi cael hynny'n digwydd i mi o'r blaen. Dyna grêt!

Pan ddaeth Dad adre heno, fe ges i f'anrhegion gan y teulu. Roedd Catrin wedi prynu cloc larwm newydd i mi. Mae'n hynod o designer. *Crôm sgleiniog. Dim sôn am yr un grŵp pop. Dim cywilydd. Ac mae'n cynnwys batris. Ac rwy'n ysgrifennu hwn ar fy ngliniadur newydd. Dw i wedi copïo popeth a ysgrifennais i neithiwr yn y llyfr nodiadau, ac fe orffenna i nawr a rhoi DVD yn y cyfrifiadur. Mi fydda i'n gallu gwylio ffilmiau yn y gwely, a 'nhroed ar glustog. Mae Mam wedi mynd i nôl siocled poeth i mi, a'r darn olaf o gacen pen-blwydd. Mae Catrin, hyd yn oed, yn gyfeillgar a chymwynasgar.*

Pan ddaw'r plaster i ffwrdd, mi fydd yn rhaid i mi fynd i gael ffisio bob dydd Mercher. Mi fydda i'n colli practis côr. Fyddan nhw ddim yn gadael i mi fod yn y cyngerdd ddiwedd tymor. Fydd dim rhaid i mi gogio symud fy ngheg hyd yn oed.

Falle fod tair ar ddeg dwbl yn arbennig. Falle fod un tair ar ddeg yn diddymu'r llall. Ta beth, dyw e ddim yn teimlo'n rhy ddrwg wedi'r cyfan, hyd yn hyn.

5

Beth Wnes i Adeg y Gwyliau, gan Sam Griffiths (Dosbarth 9C)

gan Paul Bailey

Addasiad gan Bethan Mair

Beth Wnes i Adeg y Gwyliau, gan Sam Griffiths (Dosbarth 9C)

Beth wnes i adeg y gwyliau? Fe ddyweda i wrthoch chi. Gofalu am fy mam.

Ym mis Gorffennaf, pan orffennodd y tymor ysgol, roedd gen i dad o hyd. A dweud y gwir, roedd e'n ffrind yn gymaint â thad. Ro'n i'n ei alw'n Nic, am mai dyna roedd e ei eisiau. Fyddai Mam ddim yn breuddwydio gadael i mi ei galw'n Sylvia – mae'n anghywir, meddai hi, i fab siarad â'i fam fel'na. Dyna pam mai Nic oedd e i mi pan fydden ni'n mynd i wylio gêm bêl-droed ar brynhawn Sadwrn, neu pan fyddai e'n mynd â fi am dro yn y Merc, neu pan fyddai'r ddau ohonon ni gyda'n gilydd, Nic a Sam. Ond Dad oedd e yn y tŷ, pan oedd Mam o gwmpas – Dad hyn, Dad y llall.

Roedd Nic yn fyw ar Orffennaf yr ugeinfed ond, y diwrnod canlynol roedd e wedi marw. Oedd, wedi marw. Fe welais i beth ddigwyddodd. Roedd e'n siarad gyda fi am y trip i Sbaen y byddai'r tri ohonom yn mynd arno. Roedd e'n gwenu wrth ddychmygu pythefnos yn yr haul. Gwelais ei wên yn pylu a'i ddwylo'n dal ei stumog, a chlywais sŵn yn dod o'i geg nad oedd yn debyg i unrhyw beth a glywais cyn hynny. Roedd e fel sŵn anifail gwyllt mewn magl. Rwy'n taeru mai dyna oedd e – nid sŵn dynol, os ydych chi'n deall.

Dim ond 'Sam' ddywedodd e wedyn. Fy enw i oedd y gair diwethaf iddo'i ynganu.

Ffoniais am ambiwlans a cheisiais gael gafael ar fy mam ar ei ffôn symudol, ond roedd e wedi'i ddiffodd. Cadarnhau'r hyn ro'n i'n ei wybod yn barod wnaeth y paramedics, oherwydd ro'n i wedi teimlo am byls a churiad calon yn barod. Fe wnes i bopeth y gallwn i, a doedd hynny ddim yn ddigon, i'w achub.

Wrth gwrs, ro'n i wedi ypsetio y tu mewn i mi. Does dim angen i mi ddweud wrth neb gymaint ro'n i'n teimlo. Wel, mi roeddwn i, ond roedd gen i lais y tu mewn yn fy rhybuddio i gadw 'mhen. Cadw dy ben, Sam, beth bynnag wnei di. Cadw dy ben er lles Mam.

Dyna wnes i. Dw i ddim yn brolio, ond dyna oedd yn rhaid i mi ei wneud. Eisteddais ar fy mhen fy hun yn ein tŷ ni yn aros i Mam ddod adre. Cywiriad – allwn i ddim eistedd yn llonydd. Ro'n i'n symud o stafell i stafell, ond nid i'w hystafell wely nhw, chwaith. Na, doedd dim hawl mynd i'r fan honno. Eu hystafell *nhw* oedd y stafell wely, os ydych chi'n deall.

Rhois gynnig ar ffôn symudol Mam eto, ond roedd hwnnw'n dal wedi'i ddiffodd. Ble roedd hi? Beth roedd hi'n ei wneud? Meddyliais am ffonio Mam-gu ond penderfynais beidio. Nic oedd ei hunig fab, yr un fath â fi – ei unig fab e – a doedd hi ddim yn teimlo'n iawn rywsut mai fi fyddai'n dweud wrthi. Mam oedd yr un i wneud hynny, dyna feddyliais i beth bynnag.

Ond yn y pen draw, bu'n rhaid i fi, Mr Aeddfed, Mr Oedolyn tair ar ddeg a thri mis a chwe diwrnod – na, chwe diwrnod a hanner – ddweud wrthi. Fel hyn ddigwyddodd hi. Ro'n i yn y gegin, yn dal i aros i Mam ddod adre, ac yn meddwl na fyddwn i byth eisiau bwyta nac yfed eto, pan ganodd cloch y drws. I ddechrau, gadewais iddi ganu. Ond Mam-gu oedd yno, gallwn ei gweld hi drwy wydr y drws.

'Syrpréis!' meddai hi. 'Ro'n i'n gobeithio y byddai rhywun adre. Dere â chwtsh mawr i fi, Samuel.' Jôc Mam-gu oedd fy ngalw i'n Samuel. 'Mae gen i newyddion da.'

Beth allwn i ei ddweud? Yr hyn ddywedais i oedd,'Wir, Mam-gu?'

'Gad i fi ddod i mewn ac fe ddyweda i wrthot ti.'

Fe gerddon ni drwy'r cyntedd, fraich ym mraich, ac yna dywedodd Mam-gu ei bod hi wedi etifeddu rhywfaint o arian. Roedd fy nhad-cu, a fu farw pan o'n i'n fabi, wedi bod yn garcharor rhyfel yn Japan, a nawr, hanner can mlynedd yn ddiweddarach, roedd hi'n cael iawndal ddylai fod wedi cael ei roi iddo fe pan oedd e'n fyw.

'Deng mil o bunnoedd bendigedig, 'nghariad i. Beth alla i ei brynu i ti?'

Beth allwn i ei ddweud? Yr hyn ddywedais i oedd, 'O, unrhyw beth, Mam-gu.'

'Dyw hynny ddim fel ti. Rwyt ti wastad yn gwybod yn gwmws beth rwyt ti eisiau. Ble mae Mam? Ble mae dy dad, Samuel?'

'Mae Mam yn siopa yn rhywle, dw i'n meddwl.'

'Fe ddylwn fod wedi dyfalu hynny.'

Roedd yn rhaid i mi siarad. Allwn i ddim peidio â dweud dim.

'Mae Dad yn yr ysbyty. Llanddewi.'

'Pam? Beth sy'n bod arno fe?'

'Mae e wedi marw, Mam-gu.'

'Ife jôc yw hyn, Sam? Achos os taw e—'

'Nid jôc. Y gwir. Mae Dad wedi marw.'

'Na.' Dyna'r cyfan ddywedodd Mam-gu. 'Na, na, na.'

Fe orfodais iddi eistedd i lawr. Estynnais wydraid o frandi 'meddyginiaethol' Nic iddi a dweud wrthi'n union beth oedd wedi digwydd. Wn i ddim sut ges i'r geiriau mas, ond fe lwyddais.

Yna ddywedodd yr un ohonon ni ddim byd am amser maith, maith.

Neidiais pan glywais sŵn Mam yn agor drws y ffrynt. Roedd ganddi wyth bag siopa – 'Fy nillad gwyliau,' esboniodd – a chymerais innau'r rhan fwyaf ohonyn nhw oddi arni.

'Dim byd rhy ddrud, Sam. Dw i heb fod mor wastraffus â *hynny*. Dim byd wnaiff adael twll yng nghyfri banc dy dad.'

Roedd ei llais yn swnio'n fwy sionc nag erioed o'r blaen.

'Beth am i mi wneud paned o de? Mae 'ngwddwg i'n sych grimp, rhaid i mi ddweud,' meddai gan chwerthin. 'Gall siopa o ddifri fod yn waith blinedig iawn.'

'Mae Mam-gu yma.'

'O, dyna neis.'

'Mam, mae gen i newyddion. Newyddion drwg.'

'Rhywbeth am yr ysgol?'

'Na Mam.'

'Beth ar y ddaear all e fod? Pa mor ddrwg ydi drwg, Sam?'

'Drwg iawn.'

Syllodd y ddau ohonom ar ein gilydd.

'Mae Dad wedi marw. Bu e farw o 'mlaen i pnawn 'ma.'

'Naddo ddim. Wrth gwrs na wnaeth e. Rwyt ti'n dychmygu.'

Ydy fy mam wir mor dwp â hyn? meddyliais. Ydi hi wir yn credu y gallai ei mab ddyfeisio stori mor greulon?

'Dw i heb ddychmygu dim byd. Faswn i ddim. Allwn i ddim. Dw i'n dweud y gwir.'

Chawson ni ddim ei weld e tan ar ôl i'r meddyg gyflawni archwiliad post-mortem. Dywedon nhw wrthon ni – wel, wrth Mam, ac fe ddywedodd hi wrtha i – fod ganddo fe gancr difrifol yn ei afu.

'Ddywedodd e ddim byd ei fod e mewn poen o gwbl. Mae'n rhaid ei fod e mewn poen ofnadwy os oedd ganddo fe gancr difrifol. O, Dduw mawr, Sam – mae'n rhaid ei fod e wedi cario mlaen fel tasai dim byd yn bod arno fe. Roedd e'n esgus ei fod e'n iawn. Yn esgus o flaen ei wraig a'i fab ei fod e'n iach.'

Siaradodd Mam fel hyn am ddyddiau bwygilydd. Gwrandewais i. Roedd hi'n beio'i hunan am beidio â bod yn fwy sensitif ac am beidio â sylwi bod ei gŵr yn ddifrifol wael.

'Pam yr afu, Sam? Doedd e braidd byth yn yfed alcohol. Dim ond ambell beint o gwrw ar achlysur arbennig, ond doedd e ddim yn yfwr mawr fel ei dad. Dyw hyn ddim yn deg. Dyw e ddim yn deg o gwbl.'

Gwrandewais, hyd yn oed pan fyddai hi'n dweud yr un peth drosodd a throsodd. Ac wrth wrando, sylweddolais mod i'n gwneud rhywbeth pwysig, iddi hi ac i minnau. Pe bai neb yn gwrando, byddai'r byd yn waeth lle nag ydyw'n barod. Daeth y syniad i'm meddwl wrth i mi eistedd yno'n dal ei llaw, pan fyddai hi'n gadael i mi wneud hynny, mod i'n tyfu lan yn gyflym iawn. Nid dyma'r ffordd ro'n i wedi dymuno tyfu lan, ond dyna ni. Ro'n i'n gwybod mod i yr un mor drist â Mam, ond fi oedd yr un fyddai'n gorfod ei chysuro hi. Dw i ddim yn brolio. Roedd yn rhaid i mi ei chysuro – dim byd mwy, dim byd llai.

Fel'na roedd hi ar ddiwrnod yr angladd hefyd. Fi oedd yr un wnaeth ffonio'r arlwywyr i ddod i baratoi'r bwyd ar gyfer ein teulu a'n ffrindiau ar ôl y gwasanaeth. Dywedodd Mam nad oedd hi'n gallu dygymod, a dywedais i y byddwn i'n gwneud. A fi wnaeth y rhan fwyaf o ysgwyd llaw cyn y gwasanaeth, oedd yn un syml iawn. Bu'n rhaid i mi ddweud wrth y gweinidog am y math o ddyn oedd Nic – dyn busnes llwyddiannus, a'r tad gorau y gallwn innau fod wedi'i gael, yn ogystal â bod yn ŵr cariadus. Dewisais 'Bydd yn wrol' i bawb ei ganu ar y diwedd, oherwydd mai hwnna oedd ffefryn Nic. 'Paid ag ofni'r anawsterau,' – dyna'r llinell fyddai'n cydio bob tro, meddai Nic. 'Paid di ag ofni'r anawsterau, Sam,' byddai e'n dweud wrtha i, a byddwn i'n ateb, 'Wna i ddim, Nic. Dim gobaith. Galli di ddibynnu arna i.'

Mae Mam yn gofidio drwy'r amser sut y down ni i ben, ond rwy'n gwybod y gwnawn ni. Mae'n rhaid i ni. Mae mor syml â hynny, neu mor gymhleth â hynny. Rwy'n dal i wrando. Rhaid i rywun wrando, ac am y tro, y person hwnnw yw Sam Griffiths a gafodd wyliau haf gwahanol i'r arfer eleni. Aethon ni ddim i Sbaen, er y byddai Nic wedi bod eisiau i ni fynd, ac er i Mam brynu'r holl ddillad newydd 'na. Doedd e ddim yn iawn, dan yr amgylch-iadau, yn ôl Mam.

All Mam ddim gweld yr hyn rydw i wedi'i ysgrifennu. Byddai hi'n meddwl mod i'n brolio, er mod i'n gwybod nad ydw i. Y cyfan dw i wedi'i wneud yw ysgrifennu'r gwir. Roedd yn rhaid i mi gadw fy nagrau i mi fy hun, er ei mwyn hi.

'Mae dy fam yn gwneud digon o lefain ar ein rhan ni i gyd,' meddai Mam-gu, ac yna fe wnaeth hi ymddiheuro, a difaru na fyddai wedi cnoi'i thafod, ond doedd hi ddim yn meddwl dim drwg.

Gobeithio y daw amser i chwerthin a gwenu eto cyn bo hir. Ond mae un rhan ohonof i fydd yn ddifrifol am byth. Gwelais fy nhad fy hun yn marw, a'r gair diwethaf ddywedodd e oedd fy enw i. Allwch chi ddim newid hynny. Wnaiff yr olygfa honno byth fy ngadael i.

Felly dyna beth wnes i adeg y gwyliau. Blwyddyn i heddiw, mi fydda i'n ysgrifennu rhywbeth gwahanol, rhywbeth ychydig yn ddoniol – ha-ha a rhyfedd, efallai – gyda 'bach o lwc. Does dim byd mwy i'w ddweud.

Ymateb yr athro:
Diolch am rannu hyn gyda ni, Sam. Rwyt ti'n berson dewr a gonest iawn. Buaswn yn wirioneddol falch pe gallet ti ddarllen y traethawd hwn o flaen y dosbarth, ond deallaf yn iawn os nad wyt ti'n teimlo fel gwneud. Ardderchog yn wir.

Sian Walters

Hei! Dyma Fi!

gan Jean Ure

Addasiad gan Bethan Mair

Hei! Dyma Fi!

Pan o'n i'n fach, ro'n i bron â thorri 'mol eisiau bod yn naw. Duw a ŵyr pam. Am wn i mod i'n meddwl y byddai pethau'n newid unwaith y baswn i'n naw. *Y byddai rhywbeth yn digwydd.*

Wel! Fe ges i fy mhen-blwydd yn naw ac aeth pethau yn eu blaenau'n union fel o'r blaen. Ddigwyddodd dim oll, heblaw i mi gwympo allan o goeden a thorri fy mraich. Fasech chi ddim yn galw hynny'n newyddion i siglo'r byd, na fasech?

Wedi hynny, troais fy sylw at fod yn dair ar ddeg. Tair ar ddeg oedd yr oedran delfrydol! Byddai pethau'n digwydd ar ôl i mi gael fy mhen-blwydd yn dair ar ddeg.

Felly, fe'i cefais, ac fe wnaethon nhw ddigwydd!

I ddechrau, roedd arna i ofn y byddai bod yn dair ar ddeg yr un mor siomedig o debyg i fod yn un ar ddeg neu'n ddeuddeg. Neu hyd yn oed yn naw. Dechreuodd pethau'n *affwysol* o wael wrth i Mam a Dad roi anrhegion mor *naff* i mi fel na allwn i gredu pa mor wael oedden nhw. Allai Mam hyd yn oed byth â dewis anrhegion mor *naff* â hynny, does bosib! Fe roeson nhw dop hurt o sbarcli i mi y byddwn wedi'i wisgo pan o'n i tua dwy, ond na fyddwn i'n cael fy nghladdu ynddo nawr, a phâr o dreinyrs yr o'n i wedi dwlu arnyn nhw rai misoedd yn ôl, ond a oedd bellach mor hen fel eu bod nhw ond yn ffit ar gyfer y siop ail-law. Doedd neb, a dw i'n golygu neb, yn gwisgo treinyrs felly mwyach.

Roedd Mam, waeth imi heb â dweud, yn frwd ac yn gwenu fel giât, felly gwnes fy ngorau i edrych yn falch a gwneud synau hapus fel 'O! Treinyrs! O! Top!', ond gallwn ddweud nad o'n i wedi'i hargyhoeddi hi achos cymylodd ei hwyneb ar unwaith. Mae Mam yn gallu gwneud ei theimladau *mor* amlwg; does ganddi hi ddim balchder. Ro'n i'n flin am ei siomi ond ro'n i wedi siomi hefyd! Y peth yw, hei, fy mhen-blwydd i oedd hwn, reit? Dyw penblwyddi ond yn digwydd unwaith y flwyddyn. Rydych chi'n treulio wythnosau'n edrych ymlaen atynt, yna mae pobl yn prynu stwff nad ydych chi hyd yn oed ei eisiau! Pam na allen nhw fod wedi rhoi'r arian yn lle'r anrhegion? Yna gallwn fod wedi dewis drosof fy hunan. D'ych chi ddim eisiau i'ch mam fod yn dewis ar eich rhan pan 'ych chi'n dair ar ddeg – yn enwedig fy mam i. Hi fyddai'r gyntaf i gyfadde nad oes ganddi syniad am ddillad.

Ta beth, o'r adeg honno ymlaen aeth pethau o ddrwg i waeth. Dechreuodd Dad achwyn mod i wedi tyfu'n fadam fach.

'Llawer rhy ffroenuchel! Gwell i ti wylio'r agwedd 'na, 'merch i.'

Dywedodd Mam mai 'ei hoedran hi yw e', gan geisio achub fy ngham fel arfer. Yn ôl Mam, mae tair ar ddeg yn oedran *anodd.*

'Dyw hi ddim yn blentyn, nac yn oedolyn chwaith... mae'n trio cael ei thraed o dani. Rho 'bach o raff iddi.'

Cwyno wnaeth Dad a dweud y byddwn i'n cael digon o raff i grogi'n hunan oni bai mod i'n siapo. 'Gaiff hi deimlo gwres 'y nhafod i!'

Oni bai am Mam yn ceisio codi calon pawb, base Dad a fi wedi dechrau ffraeo go iawn. Dw i yn caru Dad, wrth gwrs, a dw i ddim yn hoffi cwympo mas ag e, ond wir, does ganddo fe ddim syniad yn y byd sut deimlad yw e i fod yn dair ar ddeg yn y byd modern. Hyd yn oed pan ges i 'mharti, ar y cyd gyda fy ffrind gorau Carys, bu'n rhaid i Dad adael y stafell am nad oedd e'n gallu diodde 'ngweld i'n dawnsio *gyda bachgen.* Bachgen! Och a gwae! Dywedodd e wedyn nad y dawnsio oedd y broblem ond 'yr holl fusnes arall 'na'.

'Pa fusnes arall?' gofynnais i.

'Roedd ei ddwylo fe ar dy ben-ôl di!' gwaeddodd Dad.

O diar! Bu'n rhaid i hyd yn oed Mam chwerthin. Ond wrth i'r wythnosau fynd yn eu blaen, gwaethygodd y sefyllfa'n ofnadwy. Roedd y sesiynau gweiddi'n mynd yn bethau rheolaidd.

'Does yr un plentyn i mi'n mynd mas yn y dillad 'na!' (Sgert yn rhy fyr, top yn rhy gwta.)

'Ro'n i'n meddwl mod i wedi dweud wrthot ti i fod gartre erbyn 8.30?' (8.35 oedd hi, wir i chi.)

'Megan Walters, cer i olchi dy geg â dŵr a sebon... yn defnyddio iaith fel'na!' (Gair hollol ddiniwed y bydd pawb a phobun yn ei ddefnyddio. Wel, yn ein hysgol ni, beth bynnag.)

Weithiau byddai Mam yn achub fy ngham, weithiau fyddai hi ddim. Ond yn y pen draw, rhaid i mi ddweud mai Mam ypsetiodd fi fwyaf, nid Dad. Mae gan bawb sy'n dair ar ddeg broblemau gyda rhieni sy'n swnian ac yn gosod rheolau hurt; gallwn ddygymod â hynny. Yr hyn na allwn i mo'i ddioddef oedd Mam yn dod i'r ysgol mewn dillad oedd yn edrych fel tasai hi wedi'u tynnu nhw o'r sach sbwriel. Wel, ôl-reit, efallai fod hynny'n gor-ddweud pethau, ac rwy'n ymwybodol fod hynny'n gwneud i mi swnio'n gas iawn. Rwy'n gwybod bod 'na rai pobl a fyddai'n dweud ei bod hi'n arwynebol iawn i boeni am y fath beth ac nad yw dillad yn bwysig, ond rwy'n anghytuno. Rwy'n meddwl bod dillad yn eithriadol o bwysig. Rwy'n meddwl bod dillad yn dweud cyfrolau amdanoch wrth y byd. 'Edrychwch! Hei! Dyma fi!' Pe bai dau berson yn mynd am swydd, ac un yn edrych yn drwsiadus ac yn smart a'r llall yn un pentwr hyll o garpiau, fetia i pa un fyddai'n ei chael hi. Felly, allwch chi ddim dweud nad yw dillad yn bwysig. Dim os ydych chi'n byw yn y byd go iawn.

Adeg ffair haf yr ysgol oedd hi pan gododd Mam gywilydd arna i. Roedd pawb yno, yn sefyll tu ôl i'n stondinau (roedd Carys a minnau ar y stondin deganau) pan welais i'r siâp mawr pinc yma'n woblo tuag ata i yn y pellter. O na! Mam oedd yno. Bu bron i mi farw. Roedd hi'n gwisgo'i *thracsiwt* i ffair haf yr ysgol! I bawb ei gweld!

'O Dduw!' dywedais, a chuddio fy llygaid.

'Beth sy'n bod?' gofynnodd Carys.

Ochneidiais. 'Edrych beth mae Mam yn ei wisgo!'

Mae Carys yn rhy neis i ddweud pethau cas am fam neb; ond mae hi hefyd yn ferch onest iawn.

'Mae'n siŵr ei bod hi'n gyfforddus iawn,' meddai.

'Mae hi'n edrych fel jeli mawr pinc!' llefais.

'Wel, o leia mae hi yma,' meddai Carys.

Dyw mam Carys bron byth yn dod i bethau yn yr ysgol. (Cofiwch, pan fydd hi'n dod, mi fydd hi'n edrych fel seren y byd ffilmiau.)

'*A*,' gwichiodd Carys, 'mae hi'n mynd i brynu rhywbeth! On'd 'ych chi, Mrs Walters?'

'Wrth gwrs mod i,' meddai Mam, oedd wedi cyrraedd ein stondin wrth i Carys ddweud hyn. 'Rhaid cefnogi'r achos!'

'Mae hynny'n *wych*,' meddai Carys, wrth i Mam adael gyda hwyaden felen a theigr bach wedi'i wau o dan ei braich. 'Mae dy fam di mor hyfryd.'

Cytunais ei bod hi. Oherwydd, *mae* hi'n hyfryd, wrth gwrs. Ond yna, dyfalwch beth ddigwyddodd? Arhosodd Mam wrth y stondin drws nesaf i'n stondin ni oedd yn cael ei rhedeg gan ddwy ferch ofnadwy o annymunol sydd, yn anffodus, yn ein dosbarth ni. Melanie Jenkins a Llinos Thomas. 'Swn i wedi bod yn hapus i Mam aros yn unrhyw le ond yn fan'na. Wedyn, bron cyn iddi hi fod y tu hwnt i glyw, clywais lais Melanie'n gofyn: 'Beth oedd *hwnna*?' A Llinos yn piffian chwerthin ac yn dweud,

'Candi-fflos ar goesau!' Nawr, rwy'n mynd i gyfadde rhywbeth y base'n well gen i beidio â chyfadde, oherwydd rwy'n casáu fy hun am ei wneud, ond dyw e'n ddim mwy na'r gwir plaen. Yn lle teimlo'n grac ar ran Mam, teimlais fy mod bron â marw o gywilydd. Cochodd fy mochau nes eu bod yn fflamio ac ro'n i eisiau sgrechian, 'Nid fy mam *i* yw hi! Dyw hi'n ddim oll i wneud â *mi*!' Mae'n rhaid bod Carys wedi dyfalu sut ro'n i'n teimlo oherwydd gwasgodd fy mraich a sibrwd, 'Paid â chymryd dim sylw ohonyn nhw. Baw isa'r domen ydyn nhw!'

Diolch amdani, ond haws dweud na gwneud. Peidio â chymryd sylw, hynny yw. Mae'n beth ofnadwy i fod â chywilydd o'ch mam eich hunan. Mae'n beth ofnadwy iawn pan rydych chi, fel fi, wedi cael eich mabwysiadu, ac rydych chi wedi clywed drosodd a throsodd mai chi yw'r anrheg orau a gafodd eich mam erioed. Wel, a'ch tad hefyd, wrth gwrs, ond yn fy achos i, Mam sydd wastad yn dweud y pethau hyn. Druan o Mam! Base hi wedi cael ei brifo'n ofnadwy pe byddai hi'n gwybod sut ro'n i'n teimlo. Ond allwn i ddim peidio â theimlo fel'na ac wrth i'r dydd fynd rhagddo, dechreuodd teimladau cryf o ddicter grynhoi ynof. Nid yn erbyn y merched atgas 'na, ond yn erbyn Mam ei hun. Sut allai hi wneud y fath beth i mi? Roedd hi wedi fy ngwneud i'n gyff gwawd! Y ferch gyda'r fam fawr binc...

Bythefnos yn ddiweddarach roedd hi'n Noson Agored Blwyddyn Wyth. Ceisiais ddweud ym mhob ffordd bosib wrth Mam nad oedd angen iddi hi fynd, ond wnâi hi ddim derbyn hynny o gwbl.

'Wrth gwrs ein bod ni'n mynd!'

'Wel, falle y dylai Dad ddod, am newid. Dyw hi ddim yn deg iawn eich bod chi wastad yn gorfod gwneud yr ymdrech i ddod.'

'Dyw e ddim yn ymdrech,' meddai Mam.

'Ond does fawr o *bwynt*,' meddwn. 'Dim ond ychydig o hen athrawon sych yn sefyll o gwmpas—'

'Wel, fe hoffwn i siarad â'r hen athrawon sych 'na,' meddai Mam. 'Paid â becso! Wna i ddim gwisgo fy nhracsiwt.'

Nefoedd fawr! Oedd hynny'n golygu ei bod hi wedi clywed? Dywedodd Dad, sy'n gallu bod yn amddiffynnol iawn o Mam, ei bod hi'n iawn iddi hi wisgo beth bynnag roedd hi'n ei ddymuno.'Nid sioe ffasiwn yw hi, nage?'

'Na, ond fe wisga i ffrog,' meddai Mam. 'Rhywbeth addas i'r achlysur.'

Dw i wir yn credu bod Mam wedi gwneud ymdrech, wir i chi. Ond ar un wedd, roedd y ffrog yn fwy o drychineb na'r tracsiwt. O leia roedd Mam yn edrych fel Mam yn y tracsiwt. Roedd y ffrog fel rhyw fath o... babell. Pabell fawr, ddi-siâp, yn flodau porffor drosti. Gweddïais y byddai hi'n oer yn neuadd yr ysgol fel y byddai'n rhaid iddi ddal i wisgo'i chôt, ond na. Roedd hi fel ffwrn yno. Ro'n i'n dioddef artaith yr holl amser ro'n ni yno. Allwn i ddim cofio mod i wedi diodde'r fath artaith yn y gorffennol, ond am wn i ei fod yn rhywbeth i'w wneud â bod yn dair ar ddeg, a bod yn fwy ymwybodol o'r ddelwedd yr oedd Mam yn ei chyflwyno. Dw i'n meddwl nad 'ych chi'n gofidio cymaint pan 'ych chi'n un ar ddeg neu'n ddeuddeg. Daw tyfu'n hŷn â rhai anfanteision yn ei sgil.

Hanner ffordd drwy'r noson, gadewais Mam yn siarad gyda Mrs Davies (Daearyddiaeth, fy mhwnc gwaethaf!) ac es i chwilio am Carys. Bydd ei mam hi gan amlaf yn dod i'r Nosweithiau Agored, a dyna lle roedd hi, yn edrych fel model fel arfer.

'Mae dy fam di mor *glamourous*,' dywedais wrth Carys.

'Ydi,' ochneidiodd Carys. 'Mae hi'n dweud wrtha i drwy'r amser am gadw golwg ar fy neiet.'

'On'd oes arni hi ddim ofn anorecsia?' Ro'n i'n meddwl bod ofn anorecsia ar bob mam, ond dywedodd Carys yn ddiflas bod mwy o ofn bloneg a chluniau pwdin reis ar ei mam hi.

'Do, daeth mam *rhywun* mewn gwisg ffansi!'

Trois ar fy sawdl. Y ferch ofnadwy 'na, Melanie Jenkins.

'Am bwy wyt ti'n sôn?' gofynnodd Carys.

'O, ddim dy fam *di*, mam rhywun arall, Rwy'n hoffi'r blodau porffor!'

'O cau dy geg,' meddai Carys.

'Beth yw dy broblem di? Canmol rydw i.'

'Rwyt ti'n gas!'

'Dw i ddim yn gas. O'n i 'mond yn dweud am ei mam hi—'

Cyn i mi allu cnoi fy nhafod, roedd y geiriau wedi tasgu o 'ngheg: 'Dyw hi ddim yn fam i fi!'

Wedyn, tawelwch llethol, dim ond am eiliad. Yna, '*O*?' meddai Melanie.

Ac '*O*?' meddai Llinos, oedd wedi ymddangos wrth ei hochr. Ac fe ddywedodd y ddwy fel deuawd, '*Ers pryd?*'

Taniais ergyd yn ôl, 'Ers i fi gael fy ngeni! Mae—'

Ro'n i ar fin dweud ei bod hi'n fam fabwysiadol i fi. Nid fy mam naturiol. Ond teimlais Carys yn tynnu ar fy llawes yn wyllt.

'Meg! Bydd yn dawel!' Ac yna, gan beri i wên fawr lydan wawrio dros ei hwyneb, gwaeddodd, 'Helô, Mrs Walters!'

Roedd Mam ar ein pennau ni. O, Dduw mawr! Byddai hi wedi clywed y tro hwn, heb os. Byddai hanner y stafell wedi clywed. Rwy'n gwybod bod gen i lais annaturiol o gryf oherwydd mae Mam-gu yn dweud ei fod e. Pan fydda i'n mynd i'w gweld, bydd hi'n rhoi ei dwylo am ei chlustiau ac yn dweud, 'Casâf aflafar seiniau!', ac mae hynny pan fydda i'n siarad yn arferol.

Fel y dywedais o'r blaen, dyw Mam ddim yn un i guddio'i theimladau. Ddim fel arfer. Os yw hi'n hapus, bydd hi'n chwerthin. Os yw hi'n drist, bydd hi'n crio, ac os yw hi wedi'i brifo, fe gewch chi wybod ganddi. Ond y noson honno roedd hi'n rhyfedd o urddasol. Er gwaetha'r blodau porffor. Heb gynhyrfu dim dywedodd, 'Helô, Carys.' Pawb arall oedd yn gwingo. Roedd Carys druan wedi cochi'n biws; roedd hyd yn oed Melanie a'i ffrind twp yn edrych yn anghyfforddus. Fi? Ro'n i am i'r ddaear agor a'm llyncu. Pryd ddysga i fy ngwers?

Y diwrnod wedyn, gofynnodd Carys i mi a oedd Mam wedi dweud unrhyw beth. 'Am – ti'n gwbod! Neithiwr.'

Na, atebais, dim un gair.

'Falle wnaeth hi ddim clywed?' awgrymodd Carys heb lawer o argyhoeddiad. Cytunais, â llai fyth o argyhoeddiad.

'Ti'n gwybod, beth ddywedaist ti,' meddai Carys, ' nad hi yw dy fam di go iawn...?'

'Ie, ond do'n i ddim yn ei feddwl e,' atebais. 'Roedd gen i gywilydd am ei bod hi wedi troi lan yn y ffrog ofnadwy 'na.'

'Wnaeth hi ddim codi cywilydd arnat ti,' meddai Carys. 'Does gan neb ots sut mae mamau pobl eraill yn edrych!'

Meddyliais ei bod hi'n hawdd i Carys ddweud hynny. Roedd rhywun wedi camgymryd ei mam *hi* am Nicole Kidman unwaith. Fyddai pobl ddim ond yn chwerthin am ben fy mam i.

'Dyw hi ddim yn deg!' meddwn i.

'Pwy faset ti'n ei ddewis fel mam go iawn i ti,' gofynnodd Carys, 'taset ti'n cael dewis?'

'Mam naturiol,' meddwn i. 'Dyna beth maen nhw'n eu galw nhw.'

'Iawn, felly pwy faset ti'n ei chael?'

Nicole Kidman, meddyliais! Ond ddywedais i mo hynny oherwydd byddai'n swnio braidd yn arwynebol. Felly fe ddywedais y byddwn i eisiau rhywun oedd yn smart ac yn gwisgo'n dda.

'Mmm... ond falle na fydden nhw ddim mor neis â dy fam di,' meddai Carys.

'Pam na fydden nhw?' meddwn i. 'Does dim rheswm pam na all rhywun fod yn neis ac yn drwsiadus.'

'Am wn i,' meddai Carys.

'Mae dy fam di'n neis,' meddwn i.

'Ydi,' meddai Carys, 'ond mae dy fam di'n fwy... cysurus rywsut.'

Dywedais wrth Carys nad o'n i eisiau mam gysurus. Ro'n i eisiau mam y gallwn i fod yn falch ohoni! Mam y gallwn i fynd gyda hi i leoedd. Mam na fyddai merched ofnadwy fel Melanie Jenkins yn chwerthin am ei phen. Do'n i ddim yn gweld pam fod hynny mor afresymol.

Pan es i adre'r prynhawn hwnnw, cefais sioc: roedd Mam wedi torri'i gwallt i gyd. Roedd hi wedi'i dorri'n *fyr iawn*.

'Beth wyt ti'n ei feddwl?' gofynnodd, wrth i mi gerdded dros y rhiniog.

Teimlais fy ngheg yn agor, fel ceg pysgodyn.

'Smo ti'n ei hoffi?'

Llyncais fy mhoer. 'Dw i'n siŵr y bydda i pan ddo' i'n gyfarwydd ag e,' atebais.

Wel! Beth mae rhywun i fod i'w ddweud? Roedd yn gryn dipyn o sioc, gweld Mam fel'na. Ers cyn cof, roedd ei gwallt wedi bod fel perth ddryslyd.

'Ro'n i'n meddwl y bydde fe'n gwneud i fi edrych ychydig yn iau,' meddai hi.

Mi wnes ei sicrhau ei fod e (gan wneud fy ngorau i swnio'n argyhoeddedig) cyn mynd i'm stafell wely i wrando ar gerddoriaeth a chael fy hunan yn y meddylfryd cywir i daclo'r gwaith cartref Mathemateg. Dim ond rhyw ddau funud y bûm i yno cyn i mi glywed cnoc ar y drws a gweld pen Mam yn dod i'r golwg.

'Megan,' meddai, 'Mae gen i rywbeth i ti. Dyna ti.' Estynnodd amlen i mi.

'Beth yw e?' gofynnais.

'Mae 'na lun, ' meddai Mam, 'a llythyr. Gan dy fam naturiol. Fe gysylltodd hi ychydig o flynyddoedd yn ôl, am ei bod hi eisiau gwybod a fyddai hi'n gallu dy gyfarfod. Dywedais y byddwn i'n rhoi'r dewis i ti, pan fyddet ti'n barod. Ro'n i'n mynd i aros tan y byddet ti ychydig yn hŷn ond – wel!' Rhoddodd Mam wên fach drist a chyffwrdd yn hunanymwybodol â'i gwallt byr. 'Rwyt ti'n dair ar ddeg, ac rwyt ti'n ymddangos ychydig yn... gymysglyd. Ro'n i'n meddwl efallai y byddai hyn yn dy helpu. Does dim rhaid i ti benderfynu'n syth, ond os wyt ti'n teimlo yr hoffet ti gwrdd â hi, gallwn ni drefnu hynny.'

Aeth Mam i ffwrdd, gan fy ngadael i ar fy mhen fy hun gyda'r amlen. Am rai munudau, wnes i ddim ond eistedd yno, yn ei throi rhwng fy mysedd. Mae'n deimlad rhyfedd, gwybod eich bod ar fin edrych ar lun o'r fenyw a wnaeth roi genedigaeth i chi. Ro'n i wedi cael gwybod un neu ddau o bethau amdani, fel y ffaith ei bod hi'n dal yn yr ysgol pan gafodd hi fi, ond do'n i erioed wedi gweld llun. Yn sydyn, roedd arna i ofn, a do'n i ddim yn siŵr a oeddwn i *eisiau* gweld. Fe allai fod yn siom fwyaf fy mywyd! Mae rhywun yn darllen straeon byth a hefyd am blant sydd wedi cael eu mabwysiadu yn breuddwydio bod eu rhieni go iawn yn gyfoethog ac yn enwog; ac yna pan fyddan nhw'n dod wyneb yn wyneb â nhw, maen nhw'n gaeth i gyffuriau neu'n hipis neu'n bobl drist yn gyffredinol. Neu hyd yn oed yn ddigalon o *gyffredin*. Do'n i ddim eisiau mam â dau o blant oedd yn byw mewn fflat ddiflas mewn stryd ddiflas a chanddi swydd ddiflas!

Ond oni bai mod i'n edrych, faswn i byth yn gwybod.

Anadl ddofn. Tynnais y llythyr o'r amlen. Cyfeiriad – Caerdydd. CF5. Oedd hynny'n dda? Wn i ddim. Dw i ddim yn nabod Caerdydd!

Dim ond llythyr byr oedd e. Roedd hi'n sôn am sut y byddai hi'n meddwl amdana i'n aml, gan ddyfalu sut ro'n i'n dod yn fy mlaen. Mae hi'n ymchwilydd teledu nawr, ac yn gweithio yng Nghaerdydd. Waw – *posh*! Dywedodd y byddai wrth ei bodd yn cwrdd â mi rhyw ddiwrnod, pe byddai hynny'n bosib.

Dyfalais beth oedd ei hoedran? Defnyddiais fy mysedd i gyfri. 28? 29? Dal yn eithaf ifanc! Meddyliwch am gael mam sydd yn ei hugeiniau.

O'r diwedd rwy'n ddigon dewr i edrych ar y llun. Rebecca Matthews; dyna'i henw. Mae hi'n denau a'i gwallt yn olau. Fel fi! Rwy'n debyg iddi hi! Mae ei dillad yn fendigedig. Dim ond crys, jîns a bŵts, ond gallwch ddweud ar amrantiad eu bod nhw'n ddrud. Dyma fy mam! Fy mam go iawn! Ac os ydw i eisiau, gallaf fynd i gwrdd â hi...

Wnes i byth mo fy ngwaith cartref Mathemateg. Yn lle hynny, gorweddais ar ben y *duvet*, yn breuddwydio am Rebecca Matthews. Breuddwydiais am yr hyn y byddwn yn ei wisgo pan fyddwn yn mynd i'w chyfarfod. Breuddwydiais amdani'n dod i un o ddigwyddiadau'r ysgol. (Melanie Jenkins, llynca di hwnna!) Sut y byddwn yn mynd i aros gyda hi yng Nghaerdydd, yn CF5. Sut y gallem hedfan i ffwrdd i America gyda'n gilydd...

Ond yna – wn i ddim sut ddigwyddodd y peth – dechreuais ailfeddwl. Efallai mai gweld Mam a achosodd hyn, a hithau mor fregus gyda'i gwallt byr, pan es i lawr i gael swper. Roedd Dad yn amlwg wedi cael cymaint o sioc â mi.

'Beth yw hyn?' gofynnai e. 'Beth wyt ti wedi'i wneud?'

Gwelais wefusau Mam yn crynu.

'Mae hi wedi cael trin ei gwallt,' meddwn i. 'Smo chi'n ei hoffi? Rwy'n meddwl ei fod e'n grêt. Mae'n gwneud iddi edrych yn iau o lawer.'

'Mae'n iawn cariad bach, does dim rhaid i ti esgus,' meddai Mam.

'Na, rwy'n ei feddwl e!' Dilynais Mam i'r gegin er mwyn rhoi help llaw iddi i gario pethau drwodd.

'Wyt ti wedi gwneud penderfyniad?' gofynnodd Mam.

'Am y... cyfarfod, ti'n meddwl?'

'Fe alla i siarad â dy dad. Gallwn ni drefnu popeth i ti.'

'Y peth yw,' fe'm cefais fy hun yn dweud, 'dw i – dw i ddim yn meddwl mod i'n hollol barod eto.' Daeth y geiriau allan blith draphlith. 'Dw i'n meddwl y byddai'n well gen i aros ychydig. Tan mod i'n hŷn, iawn? Pan fydda i'n gadael yr ysgol, neu rywbeth. Beth wyt ti'n ei feddwl?'

'O, Megan,' meddai Mam, 'nid beth dw i'n ei feddwl sy'n bwysig ond beth wyt ti'n ei feddwl.'

'Wel, dyna beth dw i'n ei feddwl,' meddwn i.

'Wyt ti'n siŵr?'

Oeddwn i'n siŵr? Do'n i ddim, pan ddes i i lawr y grisiau. Wrth gerdded i lawr y grisiau, ro'n i'n dal i freuddwydio am America. Fi a'm mam ifanc... ond yna edrychais ar fy mam go iawn, oherwydd hi oedd fy mam go iawn, y fam a ofalodd amdana i a 'ngharu i a dygymod â 'nhymer ddrwg a'r sterics am flynyddoedd, ac – oeddwn! Ro'n i'n hollol siŵr.

'Nid dim ond dweud hynny wyt ti?'

'Fydda i ddim jest yn dweud pethau,' meddwn, 'mi fydda i'n eu GWEIDDI!'

'Ti'n dweud y gwir!' meddai Mam.

'Dw i'n dweud y gwir…' Sgrialais ar draws y gegin a rhoi fy mreichiau am wddf Mam. 'Y gwir yw, mod i'n DY GARU DI!'

iaith wallus

gan Marcus Sedgwick

Addasiad gan Eiry Miles

iaith wallus

alla i ddim gweld beth yw'r broblem. ond mae hynny'n dweud y cyfan. dyna'r drafferth. dw i'n gweld pethau'n wahanol iddyn nhw.
ond dylwn i wybod hynny erbyn hyn. yn hwyr neu'n hwyrach, bydd rhywun yn siŵr o greu trafferth i mi.
dylwn i fod wedi dysgu. mae'n digwydd yn ddigon aml. trafferth gan athro, neu drafferth gan ddisgybl arall.
dysgais i gau fy ngheg am y tro cyntaf mewn gwers fathemateg.
griffiths sy'n dysgu maths. mae'n hoffi meddwl ei bod hi'n glyfar. triodd hi godi ofn arnom ni gyda symiau anodd. felly rhoddodd hi restr daclus o hafaliadau cwadratig ar y bwrdd gwyn. gorffennwch y rhain erbyn diwedd y wers, meddai hi, ac aeth hi draw at ei desg.
pan eisteddodd hi, edrychodd hi lan a 'ngweld i'n codi fy llaw.
beth sy, llwyd? gofynnodd.
dw i wedi'u gorffen nhw, miss, atebais i, beth ddylwn i wneud nawr?
roedd hi'n gandryll...
dechreuodd rhai disgyblion chwerthin y tu ôl i mi ond rhythodd gripiths a dyna ddiwedd ar hynny.
paid â bod yn ewn, llwyd, meddai hi, cer 'mlaen â dy waith.

ond dw i wedi'u cwpla nhw, meddwn i.
edrychodd criplits arna i wedyn, a doedd hi ddim yn hapus o gwbl.
Iawn 'te. rhif un, meddai hi.
x yn hafal i 8, atebais i.
clywais i ychydig o chwerthin wedyn, ond stopiodd hynny'n ddigon cyflym.
ddywedodd hi, sef slincin, ddim byd am ychydig. yna fe ddywedodd hi, cywir. rhif dau?
x yn hafal i 3, meddwn i.
doedd dim angen iddi ddweud mod i'n gywir.
rhif tri?
x yn hafal i blws neu finws 2, atebais i.
aeth pethau yn eu blaen fel hyn. hi'n cyfarth y cwestiynau, a finnau'n ateb pob un. dechreuodd hi ofyn y cwestiynau'n gynt a chynt. roedd yn ddiddorol ei gwylio hi. yna, dechreuodd hi fynd yn grac, nes ei bod hi bron yn gweiddi'r rhifau ata i, ac roedd pethau'n gwaethygu gyda phob ateb ro'n i'n ei roi.
un deg wyth! meddai hi.
x yn hafal i 11.
un deg naw!
x yn hafal i 7.
poerodd y cwestiynau allan, un ar ôl y llall, ac ro'n i'n dal i roi'r atebion iddi hi. byddech chi'n meddwl taw dyna fyddai hi ei eisiau. ond na. dyna'r peth cyntaf ddysgais i'r diwrnod hwnnw. sef weithiau fod pobl yn gofyn i chi am bethau nad ydyn nhw mo'u heisiau mewn gwirionedd.

doedd hi ddim eisiau inni ddatrys yr hafaliadau cwadratig, doedd hi ddim eisiau inni ddysgu. roedd hi eisiau llenwi'r amser tan ddiwedd y wers.
cyrhaeddodd hi ddiwedd y rhestr, a dim ond bryd hynny y sylwais i pa mor dawel oedd y dosbarth. roedd pawb wedi stopio chwerthin. ddywedodd neb 'run gair. syllodd blonics arna i eto, felly edrychais i ffwrdd, gan sylwi fod pawb arall yn y dosbarth yn syllu arna i hefyd.
ro'n i'n credu y basen nhw wedi mwynhau hynny, falle. roedd e'n eithaf doniol, ac roedd golwg braidd yn ddwl ar yr hen athrawes surbwch 'na wedyn. ond ro'n i'n anghywir. doedd neb yn gwenu arna i. clywais i ryw fachgen yn sibrwd y tu ôl i mi.
ffrîc, meddai fe.
ffrîc.
a dyna'r ail beth ddysgais i, sef cau fy ngheg. nawr dw i'n ymddwyn yn dwpmewn gwersi. dw i'n ateb pethau'n anghywir ar bwrpas, yn gwneud camgymeriadau, ac yn esgus mod i ddim yn gwrando. y math yna o beth. mae'r athrawon yn credu mod i'n dwp, ond mae pethau'n haws fel hyn. yn llai o drafferth.

ond weithiau, dydy hynny ddim yn ddigon.
weithiau, bydd cerdded i rywle, hyd yn oed, yn achosi trafferth.
fel arfer, dw i'n llwyddo i guddio'r peth, ond ces i fy nal gan rywun unwaith y llynedd.

y peth yw, dydw i ddim yn hoffi cerdded yr un ffordd ddwywaith.
nid o fewn yr un diwrnod. ac os oes gwir raid imi fynd yr un ffordd ddwywaith o fewn yr un diwrnod, yna mae'n rhaid imi fynd dair gwaith, pum gwaith neu saith gwaith.
peidiwch â gofyn pam, dydw i ddim yn credu bod 'na reswm.
dw i'n ei alw'n eilrifatgasedd. achos dyna sut dw i'n ei weld yn fy mhen.
felly ro'n i'n cerdded at y bloc gwyddoniaeth, gan gyfrif y camau i sicrhau eu bod nhw'n odrifau, ac fe sylweddolais i mod i wedi bod ar hyd y ffordd 'na unwaith yn barod y diwrnod hwnnw, felly troais y ffordd arall ac es i at ddechrau'r llwybr, er mwyn cerdded ar hyd-ddo am y trydydd tro. ond gwelodd rhywun fi'n gwneud hynny.
i chi gael gwybod, un o'r bechgyn o 'nosbarth i oedd e. un o'r rhai sydd wir yn fy nghasáu i, ond dydw i ddim am ddweud ei enw. ac a dweud y gwir, does dim ots, achos maen nhw i gyd yr un peth.
beth wyt ti'n 'i wneud? meddai fe. roedd e'n swnio'n wawdlyd, ac yn tynnu stumiau hyll achos ei fod e'n fy ngwawdio i.
ddywedais i ddim byd i ddechrau, allwn i ddim gwthio unrhyw eiriau mas o 'ngheg i.
beth wyt ti'n 'i wneud heddiw, y ffrîc? meddai fe. wedi anghofio i ble rwyt ti'n mynd?

fe wnaeth hynny fy helpu i rywsut, achos doedd dim ffordd imi esbonio wrtho fe am eilrifatgasedd, hyd yn oed petawn i am wneud hynny.
ie, meddwn i, anghofio i ble ro'n i'n mynd.
y ffrîc dwl, meddai. ond atebais i ddim, felly gadawodd imi fod.

dydw i ddim yn siarad â phobl yn aml, a dweud y gwir, achos mae'n siŵr o achosi problemau. mae'n haws peidio â dechrau pethau a allai fynd o le. ac ar ôl imi drio siarad â dad am y ffordd dw i'n meddwl am bethau, fe edrychodd arna i braidd yn od, a dweud wrtha i am gau fy ngheg. ond mae pethau'n dechrau gwaethygu, achos mae fel petai'n rhaid imi gadw golwg am fwy a mwy o bethau o hyd. bagl-magl dw i'n galw hynny.
bagl-magl yw'r holl bethau mae'n rhaid imi eu gwneud er mwyn atal pethau rhag mynd o chwith, fel peidio â mynd yr un ffordd ddwywaith mewn diwrnod. dim ond un enghraifft o eilrifatgasedd yw mynd i rywle ddwywaith mewn diwrnod. enghraifft arall yw mod i ddim yn hoffi defnyddio enw rhywun ddwywaith mewn diwrnod, felly dw i'n meddwl am fersiynau eraill o'r enw yn fy mhen, ac yn defnyddio'r rheiny yn ei le. dyna beth yw eilrifatgasedd. ond dim ond un rhan o'r fagl-magl yw eilrifatgasedd.
galla i gofio adeg pan oedd dim llawer i boeni amdano. esgidiau oedd y peth cyntaf. esgidiau newydd. ac fe benderfynais i mod i ddim yn eu hoffi nhw, dw i'n credu. doeddwn i ddim yn eu hoffi nhw achos eu bod nhw'n

newydd, achos bod hynny'n golygu bod fy hen rai wedi gwisgo'n llwyr. pan fydd pethau'n gorfod newid, dydw i ddim yn hoffi hynny.
ond taflodd mam yr hen rai i'r bin, felly roedd yn rhaid imi wisgo'r esgidiau newydd. felly, er mwyn datrys y broblem, fe wnes i sarnu'r esgidiau'n syth. fe wnes i eu crafu nhw yn erbyn y waliau wrth fynd i'r ysgol, a cherdded drwy'r mwd trwchus ar ymyl y pyllau glaw. roedd hynny'n help.
ond nawr, mae'n rhaid imi wneud yr un peth i bopeth newydd dw i'n ei gael. newidnewyddhen yw fy enw ar hynny. pan fydda i'n cael unrhyw beth newydd, bydda i'n ei roi drwy broses newidnewyddhen. felly pan ges i fag ysgol newydd, fe wnes i ei rowlio i lawr llethr serth, dair gwaith, achos bod unwaith ddim yn ddigon, ac allwn i ddim ei wneud e ddwywaith achos eilrifatgasedd.

a dyna'r broblem, mae popeth wedi mynd yn gymhleth achos y fagl-magl, ac achos y gallai un rhan ohono fe wneud rhan arall yn fwy cymhleth fyth.
mae'n rhaid imi fod yn ofalus ynglŷn â dwsinau o bethau nawr, ac mae dwsinau o bethau i'w gwneud.
er enghraifft, ar ddiwedd pob diwrnod, mae'n rhaid imi gyfri a gweithio allan a ydw i wedi gwneud unrhyw beth eilrif o weithiau. os ydw i wedi gwneud hynny, mae'n rhaid imi wneud y peth yna unwaith eto. pisho, hyd yn oed.
weithiau, mae'n cymryd oesoedd imi fynd i'r gwely.

a nawr, dw i mewn mwy o drafferth eto, achos bod fy athrawes saesneg yn dweud mod i'n defnyddio iaith wallus. mae hi wedi bod yn cwyno am y ffordd dw i'n ysgrifennu. dydw i ddim yn mwynhau hyn, galla i'ch sicrhau chi. dyma enghraifft arall o bobl yn creu ffwdan i mi, am bethau na alla i eu rheoli. mae fy athrawes saesneg yn fenyw od â gwallt gwallgo a ffordd anghyffredin o wneud pethau. ond mae hi wedi penderfynu bod y ffordd dw i'n ysgrifennu'r iaith saesneg braidd yn rhy anghyffredin.

y broblem, yn ôl miss huws, yw mod i wedi stopio defnyddio priflythrennau. dydw i ddim yn eu rhoi nhw ar ddechrau brawddegau, nac ar ddechrau enwau. dydw i ddim yn eu defnyddio nhw chwaith ar gyfer y rhagenw personol person-cyntaf yn saesneg, sef i fawr, wrth gwrs.

dechreuodd miss puws roi stŵr i mi am hyn, a gofynnodd imi beth-gair-drwg ro'n i'n ei wneud. felly dywedais i stori hir wrthi hi am anarchiaeth a'r bardd e e cummings ac ego'r rhagenw, ac fe ddywedodd hi wrtha i mai gair-drwg mwlsyn oeddwn i. roedd yn syndod clywed athrawes yn meiddio â defnyddio geiriau fel 'na yn y dosbarth, a dydw i ddim am ailadrodd y geiriau fan hyn. dydw i ddim yn hoffi clywed geiriau drwg, maen nhw'n f'atgoffa i ormod o gartre.

beth bynnag, dywedodd miss suws wrtha i am roi'r gorau iddi neu byddai gair-drwg trafferth. dydw i ddim yn meddwl ei bod hi'n credu'r stori am y bardd, yr un wnes i ei grybwyll gynnau ond, a dweud y gwir, mae hynny'n ddigon teg, achos nid dyna pam dw i'n gwneud hyn. dydw i ddim yn hoffi'r ffordd mae priflythrennau mor bwysig. dim ond achos eu bod nhw ar ddechrau rhyw-beth newydd, maen nhw'n cael llythyren fawr, a dydw i ddim yn hoffi pethau newydd achos, fel y dywedais i, mae pethau newydd yn golygu newid, ac mae newid yn f'atgoffa i o'r pethau sy'n digwydd gartre.

mae pethau wedi bod braidd yn anodd yn ddiweddar, mae hynny'n wir. mae'r fagl-magl wedi bod yn dipyn o straen, achos ei fod e'n mynd mor gymhleth. ro'n i'n sefyll wrth yr arhosfan bysiau ar ôl ysgol pan ddechreuais i feddwl am y fagl-magl. ro'n i'n meddwl efallai na ddylwn i ddefnyddio'r un gair ddwywaith yn yr un frawddeg, rhag ofn bod hynny'n achosi rhai o'r pethau drwg sy'n digwydd i mi. mae hyn yn fy mhoeni i, achos mae'n gwbl bosib ei fod e'n wir, ond ceisiais i wrthod derbyn hynny'n rhan o'r rheolau, achos byddai'n anodd iawn glynu wrth y peth. byddai'n anodd iawn peidio â defnyddio geiryn bach ddwywaith yn yr un frawddeg, dw i'n credu. gair fel i, neu at, neu y.

ac er y gallwn i, falle, lwyddo i gadw golwg ar hynny, dw i'n gwybod beth fyddai'n digwydd nesaf. beth fyddai'n digwydd nesaf yw y byddwn i'n gorfod ei ymestyn y tu

hwnt i bob brawddeg, i bopeth fyddwn i'n ei ddweud mewn pum munud. neu awr. neu ddiwrnod. a byddai'r holl gyfrif yn siŵr o'n hala i'n benwan.
dydw i ddim eisiau meddwl am y peth, achos byddai hynny'n amhosib, a byddwn i wedyn yn siarad hyd yn oed yn llai nag ydw i nawr. roedd hyn i gyd yn mynd drwy fy mhen wrth imi gamu ar y bws a mynd i eistedd mewn sedd, heb dynnu sylw at fy hun. ddim yn rhy agos i'r blaen, nac yn rhy agos i'r cefn. dyna'r math o lefydd sy'n creu trafferth i mi. eisteddais yn y rhes o flaen yr un lle mae'r seddi uwch yn dechrau, yn y cefn. mae'n sedd saff, fel arfer.
ro'n i ar fin mynd i ffwrdd yn fy lle arferol, pan glywais lais y tu ôl i mi.
ces i dipyn o ofn, achos roedd hi'n amlwg bod y llais yn siarad â fi.
edrychais o gwmpas, a gwelais y ferch oedd newydd symud i'n hysgol ni rai wythnosau 'nôl. mae hi yn fy nosbarth, a dweud y gwir, ond doeddwn i erioed wedi siarad â hi, ac allwn i ddim gweld pam fod yn rhaid iddi siarad â fi, ond fe dynnodd hi fy sylw i achos beth ddywedodd hi.
ro'n i'n arfer gwneud hynna, meddai hi.
ro'n i'n credu mai ei henw oedd sandra, ond doeddwn i ddim yn siŵr.
doeddwn i ddim yn gwybod beth i'w ddweud, a ddywedais i ddim byd. ond agorais fy ngheg, a theimlo'n ddwl,

ac yna fe ddechreuais i gynhyrfu. erbyn imi sylweddoli beth oedd yn digwydd, ro'n i wedi colli fy stop.
ro'n i'n arfer gwneud hynna, meddai hi eto. cyfri'r polion, meddai hi.
yna, dechreuais i gynhyrfu go iawn, achos dyna beth ro'n i wedi bod yn ei wneud. ro'n i wedi bod yn cyfri'r polion telegraff ar y ffordd adre, ac roedd yn rhaid imi sicrhau mod i'n gweld odrif. i wneud yn siŵr, dechreuais i gyfri'r degau ar fy mysedd, a chyfri'r unedau yn fy mhen.
baglais ar fy nhraed, a symud i flaen y bws, gan wthio pob botwm stop tan i'r gyrrwr bws fynd yn grac 'da fi, a dweud nad oedd e'n mynd i stopio'n gynt nawr, hyd yn oed os oeddwn i wedi colli fy stop.
wrth imi gerdded adref, gan gyfri'r polion ychwanegol wnes i eu pasio drwy golli fy stop, meddyliais am y ferch, sharon. y peth cyntaf deimlais i oedd sioc, achos ei bod wedi siarad â fi. wedyn, dechreuais i feddwl sut gallai hi wybod beth ro'n i'n ei wneud. efallai ei bod wedi gweld fy mysedd yn symud tamaid bach, yn cyfri'r degau, ond fyddai hynny'n golygu dim i neb, oni bai... oni bai ei bod hi ei hun yn arfer gwneud hynny, go iawn.

gwelais i hi eto drannoeth, a doedd hi ddim yn gadael imi fod.
daeth ata i'n syth ar ôl imi gamu ar y bws.
sori am wneud iti golli dy stop, meddai hi.
buodd hi'n clebran am ychydig, wedyn dechreuodd hi sôn am gyfri pethau.

dechreuais i gynhyrfu, y tu mewn i mi, ac edrychais o gwmpas, ond doedd neb fel petaen nhw'n gwrando. roedd 'na ffeit yn digwydd yn y cefn, a'r rhan fwyaf o bobl yn gwylio honno.
aeth ymlaen wedyn i sôn am gyfri pethau. ro'n i bron â cholli fy nhymer gyda hi, er mwyn cau ei cheg hi, ond penderfynais y byddai'n well ei hanwybyddu hi, a gobeithio y byddai hi'n rhoi'r gorau iddi, ond wnaeth hi ddim.
ro'n i'n arfer gwneud hynny, meddai hi, roedd yn rhaid imi wneud yn siŵr fod popeth mewn parau. ti'n deall? eilrifau.
a chyn imi sylweddoli beth ro'n i'n ei ddweud, agorais fy ngheg a siaradais.
eilrifau? meddwn i. na, mae'n rhaid iddyn nhw fod yn odrifau.
Ac yna, roedd hi'n gwybod mod i'n gwybod am beth roedd hi'n sôn, ac allwn i ddim ei rhwystro hi.

doedd hi ddim yn yr ysgol drannoeth, a doedd hi ddim ar y bws y bore wedyn ond, wrth fynd adref, roedd hi yno eto, a dyna pryd sylweddolais i. fe sylweddolais mod i'n ei hoffi hi.
felly pan ddywedodd hi, hoffet ti ddod i gael te yn fy nhŷ i rywbryd? ar ôl ysgol? hoffwn, atebais i.
grêt, meddai hi. beth am ddydd llun? dw i'n mynd i brynu cds newydd dros y penwythnos, a gallwn ni wrando arnyn nhw.

cytunais i.
pa fath o gerddoriaeth rwyt ti'n hoffi?
cerddoriaeth? meddwn i.
chwarddodd hi.
ie, meddai hi, cerddoriaeth. pa fandiau? metel trwm? na, falle ddim, beth am... gerddoriaeth *skate*? na? wel, alla i ddim dyfalu, dwed ti wrtha i!
ond allwn i ddim dweud, achos doeddwn i ddim yn gwybod.
does dim cerddoriaeth yn ein tŷ ni. dydy fy rhieni ddim yn ei hoffi.
jest dwed wrtha i pa cd brynaist ti ddiwethaf, meddai sara.
edrychais arni hi, agor fy ngheg, a theimlo'n ddwl, ond atebais i beth bynnag.
dydw i erioed wedi prynu cd, meddwn. does gen i ddim cerddoriaeth o gwbl. edrychodd yn ôl arna i, ond doedd hi ddim yn gwenu nawr.
o gair-drwg, meddai hi. gair drwg iawn, hefyd.

felly bydda i'n mynd i'w thŷ hi ddydd llun.

Dw i'n hoff iawn o Sara, ond dydw i ddim yn ei ffansïo hi. Mae hi'n ddoniol, ac yn fwy na dim, mae'n hawdd siarad â hi. Am bethau, am unrhyw beth. Am gerddoriaeth.

'Wel 'te,' meddai hi, y tro cyntaf imi fynd i'w thŷ hi. 'Os nad wyt ti'n gwybod unrhyw beth am gerddoriaeth, bydd yn rhaid imi dy ddysgu di.'

'Fy nysgu i?' meddwn i. Ac mae'n rhaid mod i'n edrych braidd yn syn, achos chwarddodd hi.

'Paid â phoeni. Y cyfan mae'n rhaid iti ei wneud yw dweud wrtha i beth rwyt ti'n ei feddwl o'r gerddoriaeth dw i'n ei chwarae. Alli di wneud hynny?'

'Dw i'n credu,' meddwn, ond ro'n i'n dal i deimlo braidd yn hurt.

Felly, ers hynny, rydym ni wedi gwrando ar gannoedd o CDs. Mae ganddi hi gasgliad anferthol, ac mae hyd yn oed mwy gan ei thad, achos fe fu e'n gweithio i gwmni recordiau.

I ddechrau, ro'n i'n cael trafferth dweud a oeddwn i'n hoffi rhywbeth neu beidio.

Byddwn i'n aros tan i rywbeth orffen, ac yna'n eistedd yno'n llonydd. Unwaith, dechreuodd Sara chwerthin.

'Paid ag edrych mor ddifrifol!' meddai hi. 'Jest dwed wrtha i beth rwyt ti'n 'i feddwl.'

Meddyliais am adael. Doeddwn i ddim yn hoffi cael rhywun yn chwerthin ar fy mhen, ddim o gwbl. Ond doeddwn i ddim eisiau ei siomi hi, felly fe arhosais i yno.

'Wel,' meddai hi.

Arhosodd am ateb.

'Dw i ddim yn gwybod,' meddwn i. 'Roedd y gân braidd yn… ddiflas?'

'Da iawn!' meddai hi. 'Mae'n gas 'da fi hi hefyd, ond ro'n i am wneud yn siŵr nad wyt ti'n fyddar.'

A dechreuodd y ddau ohonom ni chwerthin.

Nawr dw i'n llawer gwell am wneud hyn, a galla i ddweud yn syth a ydw i am hoffi rhywbeth neu beidio.

Bydda i'n gweiddi, 'Rwtsh!' neu falle, 'Cŵl!'

Ac mae hynny'n wir. Mae beth ddigwyddodd ar y bws, pan gwrddon ni gyntaf, yn wir hefyd.

Dywedodd Sara bopeth amdano fe. Dywedodd hi ei bod hi'n arfer cyfri polion hefyd, ond ei bod hi'n cyfri llawer o bethau eraill hefyd, i wneud yn siŵr fod popeth yn eilrif. I wneud yn siŵr na fyddai pethau drwg yn digwydd. Dechreuodd hi gyfri cymaint o bethau nes i bopeth fynd yn anodd iawn, ac yn y diwedd, bu'n rhaid iddi fynd i weld doctor arbennig am y peth. Mae'n dweud ei bod hi'n llawer gwell nawr.

Gwell. Fel petai hi wedi bod yn sâl.

Dyna wnaeth fy nharo i. Doeddwn i ddim yn credu mod i'n sâl.

Felly roedd hi'n union fel fi, a dywedodd ei bod hi'n dal i deimlo'i hun yn gwneud y peth, weithiau. Cyfri. Yn union fel fi, ond mod i'n casáu eilrifau, a hithau'n casáu odrifau.

A dyna sut sylweddolais i fod hyn i gyd yn hurt.

Ac fe siaradon ni am bethau eraill, ynglŷn â pham ro'n i'n ysgrifennu'n wahanol, ac am enwau, ac yn y blaen, ac ro'n i wedi syrffedu arno fe erbyn y diwedd, felly weithiau doedden ni'n gwneud dim byd ond gwrando ar gerddoriaeth, heb ddweud hyd yn oed a oedden ni'n ei hoffi neu beidio.

Ro'n i'n teimlo'n flinedig, mor flinedig. Un diwrnod, wrth wrando ar rywbeth tawel braf, dechreuais feddwl am roi'r gorau i'r fagl-magl. Gollwng fy ngafael arno fe. Ac erbyn hyn, dydw i ddim yn poeni cymaint am wneud rhai pethau.

Dydw i ddim yn mynd i ddechrau chwarae cerddoriaeth gartre, a does gen i ddim byd i chwarae cerddoriaeth, beth bynnag. Ond mae Sara'n byw yn agos iawn i mi, ac mae hi'n dweud y galla i fynd draw yno unrhyw bryd.

Es i draw i dŷ Sara am y tro cyntaf tua mis yn ôl, dw i'n credu. Neu efallai ryw ddeufis yn ôl. Dw i ddim yn gwybod.

Achos dw i ddim wedi bod yn cyfri.

Troedio'n ofalus

gan Kay Woodward

Addasiad gan Eiry Miles

Troedio'n ofalus

Bang, bang, bang, bang.

Atseiniai ei chamau ar y pafin gan greu sŵn digalon. Edrychodd Siân i lawr ar ei hesgidiau anniben, wrth geisio osgoi'r craciau a'r tyllau. Diwrnod arall bron ar ben. Ac, am yr hanner canfed tro y diwrnod diflas hwnnw, ochneidiodd yn ddwfn fel corwynt mawr. Roedd hi wedi gwneud cawlach o bopeth.

Edrychodd i'r dde. Dyna nhw – yn cerdded ar y pafin gyferbyn â hi. Ei chyn-ffrindiau. Yn ymddwyn fel tasen nhw'n cael amser wrth eu boddau. Yn sibrwd wrth ei gilydd. Yn giglan yn llawn direidi – â'u hysgwyddau'n crynu wrth chwerthin. Gwyddai Siân eu bod nhw'n perfformio er ei mwyn hi. I bwysleisio eu bod nhw'n ffrindiau agos, clòs. A'i bod hithau ar ei phen ei hun yn llwyr.

'Ar beth wyt *ti*'n edrych?' heriodd Lowri ar draws y traffig.

Teimlodd Siân ei bochau'n poethi wrth iddynt syllu arni, y ddwy â'u dwylo'n gadarn ar eu hochrau. 'Dw i ddim yn gwybod... mae'r label wedi cwympo i ffwrdd,' meddai hi'n wan.

Chwarddodd Lowri'n uchel ac yn galed, gan bwnio Narinder yn ysgafn. Yna, aeth y ddwy yn eu blaenau, gan sibrwd a phiffian chwerthin yn frwd, fel petaen nhw'n siarad am rywbeth o bwys.

TAIR AR DDEG

Llusgodd Siân yn ei blaen. Roedden nhw wedi cweryla o'r blaen – y tair ohonyn nhw – ond bydden nhw wastad yn cymodi'n syth wedyn. Doedd pethau erioed wedi para mor hir â *hyn*.

Trueni iddi ddweud y pethau hollol *dwp* 'na am Darren wythnos diwetha.

Roedd Darren mor ddiflas fel ei fod e'n gwneud i raglen *Ffermio* edrych yn ddiddorol iawn. Heb i neb ofyn iddo, byddai'n rhygnu 'mlaen a 'mlaen am hofrenyddion, awyrennau neu geir Formula One am oriau. Os oedd injan gan rywbeth, byddai Darren yn dwlu arno. Ac yn bendant, doedd ganddo ddim diddordeb mewn merched.

O leiaf, dyna roedd Siân yn ei feddwl. Felly, un amser egwyl, pan oedd hi a Lowri a Narinder wrthi'n gwneud eu hoff weithgaredd, sef trafod y Cariad Perffaith, dyna'n union ddywedodd Siân...

'Fyddai Darren ddim yn nabod merch tasai hi'n cario arwydd mawr yn dweud *merch ydw i*,' meddai'n bendant.

'Dyw e ddim mor ddrwg â hynny,' meddai Narinder. 'Roedd e'n eitha siaradus yn y disgo Nadolig.'

'Dim ond achos ei fod e'n esbonio sut mae adenydd awyrennau'n gweithio,' atebodd Siân. 'Hmm. Peirianneg awyrennau neu gerddoriaeth a cholur. Does dim cystadleuaeth, nag oes?' Chwarddodd Lowri a hithau'n uchel.

Roedd Narinder yn dawel.

'O, dere!' meddai Lowri. 'Dwyt ti ddim yn ei hoffi e, nag wyt?'

'Wel... ym...'

'Ond mae brychni ganddo fe...' meddai Siân yn syn. Yna, fe ddywedodd rywbeth mwy sarhaus fyth. 'Ac mae e'n gochyn!'

'Nac ydi, *auburn* yw lliw ei wallt e!' bloeddiodd Narinder. Dechreuodd lefain yn ddramatig dros bob man, cyn rhedeg i'r tŷ bach.

''Drycha beth wnest ti nawr!' meddai Lowri'n grac. 'Ti a dy hen geg fawr!' Rhuthrodd ar ôl Narinder.

Am eiliad neu ddwy, roedd Siân yn syfrdan ac yn fud. Yna, fel petai rhywun wedi taflu bwced o ddŵr rhewllyd drosti, dihunodd ac aeth ati i geisio datrys y sefyllfa. Wrth ruthro ar ôl ei ffrindiau gorau yn y byd mawr crwn, ceryddodd ei hunan am fod mor ddifeddwl. Iawn, efallai nad Darren oedd bachgen ei breuddwydion hi, ond pam na allai Narinder ei hoffi? Ac os byddai e'n addo peidio â pharablu'n ddi-baid am injans jet diflas, efallai y gallai hi ymdopi â'i gwmni. Aeth at Narinder a dechrau ymddiheuro.

Bang, bang, bang, bang.

Trawodd traed Siân y pafin, eto ac eto... heibio'r siop Boots lle bydden nhw'n arfer chwilio am y masgara duaf, diweddaraf... heibio'r siop bapur newydd lle bydden nhw'n troi dalennau'r cylchgronau sgleiniog, newydd sbon. Cafodd gip ar yr ochr arall i'r heol. Dyna lle roedden nhw wrthi o hyd, yn ei chau allan o'u byd.

TAIR AR DDEG

Heb rybudd, daliodd Narinder ei llygad. Syllodd Siân yn ôl arni, yn betrusgar. Oedd hyn yn golygu bod y ddwy galon iâ ar fin toddi?

Niiiiowwww!

Rhuodd beic modur heibio iddyn nhw, gan dorri'r swyn. Caledodd llygaid Narinder, pwniodd Lowri'n ysgafn, a throdd y ddwy i syllu'n grac ar Siân.

'Beth yw dy broblem *di*?' gwawdiodd Lowri. 'Dim ffrindiau ar ôl, ie? Neb ar ôl i'w sarhau?'

'Gwranda,' meddai Siân, gan ymdrechu i godi ei llais dros sŵn y traffig. 'Camddealltwriaeth yw hyn i gyd. Do'n i ddim yn bwriadu brifo neb—'

'Alli di glywed rhywbeth?' meddai Lowri'n uchel wrth Narinder. Siglodd hithau ei phen i ddweud 'na'.

'Dim ond sŵn cwynfanllyd ofnadwy.'

'Dyna ro'n i'n 'i feddwl.' Siglodd Lowri ei gwallt hir dros ei hysgwydd. 'Oooo, 'drycha faint o'r gloch yw hi! Dere! Dy'n ni ddim am fod yn hwyr i'r *betingalw.*'

'Cŵl!' bloeddiodd Narinder nerth esgyrn ei phen.

Gwgodd Siân. Iawn, roedd hi wedi cael y neges. Doedd neb am gymodi eto.

Ar ôl iddi ymddiheuro i Narinder am fod yn ansensitif ac yn anghwrtais – ac am fod yn gas wrth bobl â gwallt coch a brychni – aeth pethau'n ôl i'r arfer. Bron. Roedd y tair ohonyn nhw'n dal i wneud pethau gyda'i gilydd. Gwastraffu oriau yn Boots, a thecstio'n ddi-baid nes bod eu bodiau'n brifo. Ond roedd rhywbeth bach o'i le. Doedd Narinder ddim mor gyfeillgar ag arfer, er ei bod hi'n gwadu hynny'n llwyr. A dechreuodd Lowri a Narinder dreulio mwy o amser gyda'i gilydd – dim ond y ddwy ohonyn nhw.

Doedd cael ei gadael allan ddim yn llawer o hwyl.

Yna, rhoddodd Siân ei throed ynddi eto – a gwneud cawlach go iawn o bethau.

Digwyddodd hyn un amser egwyl glawog, pan oedd y tair yn pwyso'n ddioglyd ar eu desgiau, a diferion glaw yn curo ar ffenestri'r dosbarth...

Roedd Narinder yn chwarae'n freuddwydiol ag edefyn rhydd ar ei thei. 'Alla i ddim aros tan fydda i'n bedair ar ddeg,' meddai hi.

'Na finnau,' meddai Siân, gan bwyso 'nôl ar ei chadair, ar ongl beryglus. 'Ond mae misoedd i fynd tan fy mhen-blwydd i'.

''Sgwn i pa fath o barti ga' i?' meddai Narinder yn synfyfyriol. 'Gwisg ffansi? Parti 1980au? Dw i braidd yn rhy hen nawr i chwarae 'pasio'r parsel' a phethau fel 'na...'

Chwifiodd Siân ei dwylo'n wyllt, cyn dweud heb feddwl, '*Wrth gwrs* dy fod ti'n rhy hen. A dwyt ti ddim yn meddwl fod partïon pen-blwydd braidd yn – wel, blentynnaidd? Braidd yn *passé*? Fel ffasiwn y *llynedd*?'

Nodiodd Narinder yn araf. 'Falle'n wir.'

Roedd Lowri'n gorffwys ei gên ar ei dwylo, gan syllu ar y bwrdd gwyn.

'Dwyt ti ddim yn cytuno?' holodd Siân, wrth i goesau ei chadair daro'r llawr yn galed.

'Hmm?' meddai Lowri, â golwg syn ar ei hwyneb. 'Ond fe gest ti bar—'

Boddwyd ei geiriau gan sŵn y gloch yn canu, ac erbyn i'r amser gyrraedd iddyn nhw fynd adref, roedd Siân wedi anghofio'r drafodaeth.

Fore trannoeth, gwingodd Siân wrth gofio'i holl eiriau'n fanwl gywir. Oherwydd, erbyn bore trannoeth, roedd pob merch arall yn ei dosbarth wedi cael gwahoddiad i Barti Pyjamas Lowri, i ddathlu ei phen-blwydd yn dair ar ddeg. Pob merch heblaw am Siân.

'Mae'n wir ddrwg gen i,' meddai Siân wrth Lowri amser egwyl. Roedd hi'n dechrau teimlo ei bod yn gwneud dim byd ond ymddiheuro a mynd ar ei gliniau o flaen pobl. Roedd hyn yn hyfforddiant perffaith i gael gyrfa mewn adran gwynion, ond yn gymaint o hwyl â bwyta Marmite. 'Fe anghofiais i'n llwyr fod dy ben-blwydd yn dair ar ddeg cyn bo hir,' meddai Siân. 'Ro'n i'n trio dweud bod partïon pen-blwydd *pedair* ar ddeg yn ddwl, nid rhai tair ar ddeg. Ro'n i'n meddwl—'

'Rwy'n gwybod yn union beth roeddet ti'n 'i feddwl,' meddai Lowri. 'A dyna pam dwyt ti ddim yn dod. Wedi'r cwbwl, rwyt ti'n llawer rhy aeddfed i gael gwahoddiad i rywbeth mor *blentynnaidd,* fel *ffasiwn y llynedd.*'

'Ond—'

Aeth Lowri yn ei blaen, fel petai Siân heb ddweud gair. 'Nawr, bydd gen ti noson rydd i ddarllen y llyfr ffôn neu ddysgu Swahili neu i grosio cwilt newydd – neu beth bynnag hoffet ti ei wneud.' Edrychodd ar ei wats. 'Rhaid imi fynd – llawer o bethau plentynnaidd ac anaeddfed i'w paratoi ar gyfer y parti—'

'Ond...'

Doedd dim pwynt ceisio esbonio. Roedd Lowri wedi mynd – gan lusgo Narinder gyda hi.

Crynodd Siân. Roedd awel oer yn treiddio drwyddi.

Bang, bang, bang, bang.

Cyrhaeddodd y parc. Edrychodd Siân rhwng y rheiliau ar y siglenni gwag yn siglo 'nôl a 'mlaen yn yr awel. Roedd clwstwr o ferched yn lolian yn erbyn y ffrâm ddringo, yn clebran yn ddidaro. Edrychodd arnynt – yn genfigennus o'u sgwrsio cyfeillgar. Yna, trodd ei phen i syllu arnyn *nhw*. Ffrindiau gorau'n cerdded adref o'r ysgol gyda'i gilydd – ar ochr arall yr heol. Ond waeth iddyn nhw fod ym mhen draw'r byd.

Heddiw, roedd pen-blwydd Lowri. Ac ers iddyn nhw fod yn ysgol y babanod, bydden nhw wastad yn gwneud tipyn o ffys o benblwyddi. Bydden nhw'n cyfnewid anrhegion wedi'u lapio mewn papur disglair, â rhubanau a gliter drostynt. (Fel arfer, byddai'r papur a'r addurniadau'n creu mwy o argraff na'r anrheg.) Ac yn canu *Pen-*

blwydd Hapus wrth fynd o wers i wers. Roedd penblwyddi'n wych.

Ond roedd yr un yma'n oeraidd ofnadwy.

Er hynny, roedd Siân wedi prynu anrheg, yn ôl ei harfer. Efallai fod y sefyllfa'n ddifrifol, ac efallai na fydden nhw'n ffrindiau byth eto, ond roedd hi'n dal i deimlo rhithyn bach o deyrngarwch. Felly, cyn i'r disgyblion lifo drwy goridorau'r ysgol y bore hwnnw, rhoddodd Siân flwch bach, wedi'i lapio'n bert, yn locer ei chyn-ffrind. Y tu mewn iddo roedd clipiau gwallt pinc, sgleiniog. Byddai Lowri'n gwybod eu bod yr anrheg ganddi hi.

Llond bola.

Roedd Siân wedi cael llond bola ar yr holl duchan ac ochneidio a chwyno a grwgnach a galw enwau a checran. Wrth gwrs, pe bai cystadleuaeth Olympaidd ar gyfer Dweud Pethau Dwl, byddai wedi ennill medal aur... Daeth gwên annisgwyl i'w hwyneb wrth feddwl am hynny. Wrth edrych i'r dde, cafodd Siân gip ar lygaid Lowri. Yn rhy hwyr, sylweddolodd ei bod yn gwenu arni, o glust i glust.

Er syndod iddi, lledodd gwên dros wyneb Lowri. Ond, fel fflach, trodd i ffwrdd, â'i gwallt sgleiniog yn sboncio fel petai hi'n ymarfer ar gyfer hysbyseb siampŵ. Ac yno, yn ei gwallt, roedd rhywbeth pinc, disglair.

Teimlodd Siân fflam fach o obaith yn ei chalon. Roedd Lowri'n gwisgo ei hanrheg ben-blwydd! Oedd hyn yn golygu y byddai popeth yn iawn?

Yna, edrychodd Narinder arni, â'i gwefus yn troi ar i fyny – nid i wenu, ond i wgu'n gas.

Diffoddodd y fflam yn syth.

Ar ôl i Siân roi ei throed ynddi wrth drafod penblwyddi, ochrodd Narinder gyda Lowri. Roedd y ddwy fel tasen nhw wedi'u gludo wrth ei gilydd erbyn hyn.

A, phan ddechreuodd y sibrydion, roedd Siân yn gwybod yn iawn pwy oedd yn gyfrifol.

Y llynedd, pan oedd hi'n llawer iau ac yn llawer mwy dwl, fe ddechreuodd Siân ffansïo Mr Parry, yr athro Hanes. Roedd e'n dal, yn dywyll ac yn llawn dirgelwch, fel arwr drama deledu ramantus. Dim ond am ychydig wythnosau – wel, ychydig fisoedd – y parhaodd y teimladau hynny, cyn i Siân sylweddoli ei fod e'n llawer rhy hen iddi. Roedd e'n ddeg ar hugain, o leiaf. Ac roedd rhychau ar ei wyneb.

Rhannodd Siân yr wybodaeth gyfrinachol hon gyda Narinder, gan ymddiried yn llwyr ynddi, ac addawodd Narinder beidio ag yngan gair wrth neb am y peth.

Ar ôl i chwarae droi'n chwerw, mae'n rhaid bod Narinder wedi dweud wrth bawb ym Mlwyddyn Wyth am ei chyfrinach. Ond ddywedodd hi ddim bod Siân wedi callio ac anghofio am Mr Parry erbyn hyn.

Rhigymau a gwatwar, gwawd a herian – dyna'r cyfan glywodd hi am ddyddiau. Ac wrth glywed y synau hynny, byddai Siân yn cau ei gwefusau'n dynn, ac yn gwenu ar bawb yn sych. Doedd dim diben ateb yn ôl, gan na fyddai neb yn gadael llonydd iddi wedyn. Pe bai hi'n anwybyddu'r peth, bydden nhw'n siŵr o ddiflasu – yn y pen draw. Caeodd ei cheg, hyd yn oed pan ymunodd Darren Diflas â'r gwatwar, er mwyn ceisio creu argraff ar Narinder trwy ganu fel aelod o *boy band.*

Mae Siân yn caru Parry

Mae Siân yn caru Parry

Roedd Siân wedi'i brifo, a'r boen yn annioddefol. Llithriad damweiniol oedd ei sylwadau trwsgl am y parti, ond roedd geiriau Narinder yn fwriadol. Roedd hi wedi cael llond bola ar bobl yn pigo arni. Roedd yn bryd gwneud rhywbeth am y peth.

Felly, yn gynharach y diwrnod hwnnw, cornelodd Narinder ar ôl gwers Fathemateg ddwbl...

'Hoffet ti rannu unrhyw hen gyfrinachau eraill?' meddai Siân.

Roedd Narinder yn amlwg yn teimlo'n euog, a'i hwyneb yn cochi. 'Ym... y...'

'Wel, beth am iti ddechrau creu storïau?' meddai Siân, gan ddechrau mynd i hwyl. 'Beth yw'r ots am gyfrinachau addewaist ti eu cadw am byth? Cyfrinachau y byddet ti'n eu cadw oddi wrth bawb, hyd yn oed pe bai rhywun yn dy hongian di gerfydd bysedd dy draed uwchben crochan o olew berwedig? Pam na wnei di greu *celwyddau* newydd sbon amdana i yn lle hynny?'

'Doeddwn i ddim yn bwriadu dweud wrth neb,' meddai Narinder, gan boeri'r geiriau. 'Llithrodd y geiriau allan, ac yna clywodd un o'r bechgyn ac wedyn... ac wedyn... roedd pawb yn gwybod.'

'Ie wir?' meddai Siân.

'O leia dydw i ddim yn mynd o gwmpas y lle yn dweud pethau cas am gariadon pobl!' meddai Narinder o dan ei gwynt.

'Wnes i ddim!'

'Do, fe wnest ti. Ac rwyt ti'n sbwylio partïon pen-blwydd pobl.'

'Nac ydw!'

'Wyt!'

Roedd hyn yn dechrau mynd yn hurt – mor hurt nes i Siân deimlo chwerthin mawr yn byrlymu yn ei bola. Gan geisio sythu ei hwyneb fel darlledwr newyddion difrifol, aeth yn ei blaen.

'Nac ydw! *Ti* wnaeth imi edrych fel mwlsyn!'

'Rwyt ti *yn* fwlsyn!'

'Rwyt *ti*'n dwpsyn!'

'Ac rydych chi'ch *dwy* i mewn yn fan hyn pan ddylech chi fod tu fas, yn mwynhau'r heulwen,' meddai Miss Jones, yr athrawes Saesneg. 'Meddyliwch am yr holl fitamin D hyfryd sy'n cael ei wastraffu. Allan – *nawr*!'

Bang, bang, bang, bang.

Cerddodd Siân yn ei blaen, heibio'r arhosfan bysiau, heibio'r groesfan sebra, gan gadw'r un cyflymder â Lowri a Narinder. Llifai afon o geir a bysiau rhyngddynt – yn eu gwahanu, ac eto, rywsut, yn eu cadw gyda'i gilydd. Roedd un peth yn sicr. Roedd cweryla gyda ffrindiau'n anodd, ond roedd cymodi â ffrindiau'n anoddach fyth.

Dechreuodd gnoi'r croen ar ochr ei bawd, gan ddyfalu am beth roedden nhw'n siarad. Dyfalu pwy fyddai'n cymryd y cam cyntaf i gymodi. Beth petai neb yn gwneud hynny? Beth petai Lowri a Narinder byth am fod yn ffrindiau gyda hi eto? Beth petai hi'n cael ei hanwybyddu am weddill ei dyddiau ysgol? Roedd hi'n rhy ifanc i gael ei halltudio – on'd oedd hi?

Roedd Siân wedi cael digon ar ofyn cwestiynau i'w hunan. Allai hi mo'u hateb. Roedd hi eisiau ei ffrindiau yn ôl, dyna i gyd.

Clywodd sŵn siantio'n bell i ffwrdd, uwchlaw sŵn y ceir wrth iddynt lifo heibio.

Mae Siân yn caru Parry

O na, ddim eto.

Mae Siân yn caru Parry

Ysgyrnygodd.

Mae Siân yn caru Parry

Gwthiodd ei gên allan, yn galetach ac yn galetach.

Siani a Parry, Siani a Parry

Llyncodd lond cegaid o wynt, a throdd i wynebu ei phoenydwyr. Er iddi benderfynu ymddwyn yn aeddfed ac yn synhwyrol, hedfanodd y geiriau o'i cheg. 'Pam na wnewch chi dyfu lan!' rhuodd.

'Ooooo,' meddai Darren, gan wenu o glust i glust. 'Mae ofn arna i.'

'Bydd ofn arnat ti, o ddifrif, os na wnei di adael imi fod,' rhybuddiodd Siân, gan deimlo mor fygythiol â marchog gyda chleddyf rwber.

'Well iti wylio beth rwyt ti'n 'i ddweud,' meddai un o'r bechgyn mwyaf. Symudodd ymlaen.

Symudodd Siân yn ôl.

'Ie,' meddai un arall dros ei hysgwydd. 'Dwyt ti ddim yn arbennig o boblogaidd ar hyn o bryd, nag wyt ti? Alla i ddim gweld neb yn rhuthro i d'amddiffyn di.'

Bang-bang, bang-bang. Ei chalon oedd yn atseinio yn ei chlustiau nawr.

'Os hoffet ti wybod,' meddai Siân mewn llais cryf, gan guddio'i hofn, 'mae gen i ddigon o ffrindiau.'

'Ble maen nhw, felly?' meddai Darren, gan godi'i aeliau'n bryfoclyd.

'Fan hyn,' meddai Narinder.

'Beth?' meddai Darren yn ddryslyd.

'Clywaist ti fi'n iawn,' meddai Narinder. Llamodd Lowri a hithau o'r groesfan ddu-a-gwyn i'r pafin. Y tu ôl iddyn nhw, prysurodd y traffig eto.

'Hei, dim ond tamed bach o sbort oedd e,' meddai Darren. 'Beth bynnag, *ti* ddywedodd ei bod hi'n ffansïo Mr Parry.'

Yn llonydd fel delw, edrychodd Siân ar Narinder.

'Wel, ro'n i'n anghywir,' meddai ei chyn-ffrind.

Ei ffrind.

'Gad lonydd iddi hi,' meddai Lowri, er mwyn rhoi hwb i'w ffrind.

Gwenodd Siân.

'Merched,' ysgyrnygodd Darren. Cytunodd ei ffrindiau, gan ochneidio, ac aethant o'r golwg, fesul un.

Edrychodd y tair merch ar ei gilydd.

'Felly, beth rwyt ti am ei wisgo heno?' gofynnodd Lowri, fraich ym mraich gyda Siân.

'Fi? Heno?' meddai Siân. Doedd hi ddim yn deall. Doedden nhw ddim yn cymodi, nag oedden? *Oedden nhw?*

'I'r parti pyjamas?' meddai Narinder, gan afael yn ei braich arall.

'Wel,' meddai Siân. Teimlodd wên yn goglais ymylon ei cheg. 'Ro'n i'n meddwl gwisgo... pyjamas.'

Roedden nhw'n ffrindiau eto.

Am heddiw, o leiaf.

Y Parti Anghywir

gan Helen Oyeyemi

Addasiad gan Eiry Miles

peth, er bod Doyin wedi dweud wrthi, dro ar ôl tro, fod y plant ar y bws yn arfer ei galw hi'n hyll, hefyd. Pan ddigwyddai hynny, byddai'n anodd llyncu'r dagrau a oedd yn curo yng nghefn ei phen fel diferion glaw.

'Dywedodd rhywun yn yr ysgol heddiw dy fod ti'n rhyfedd,' meddai Sade ar ôl ychydig, gan deimlo braidd yn gas er ei bod hi'n ceisio talu'r pwyth yn ôl i'w chwaer am fod mor bert. Nid atebodd Doyin yn syth, ond cododd ei hysgwyddau. Wrth i lygaid Sade grwydro drosti, gwelodd bont ysgwydd Doyin yn gwbl glir, a sylwodd nad oedd Doyin wedi ennill yr holl bwysau a gollodd, sbel yn ôl, yn ystod y cyfnod anodd hwnnw pan oedd hi'n dal i fynd i ysgol Sade. Dyna pam fod pobl yn yr ysgol yn credu ei bod hi'n rhyfedd. Am amser hir, ychydig iawn fyddai Doyin yn ei fwyta, er ei bod hi'n esgus bwyta digonedd o fwyd. Yn sydyn, dechreuodd ei llygaid ymddangos yn llawer rhy fawr i'w hwyneb. Byddai'n parablu mewn brawddegau rhyfedd, digyswllt, cyn rhoi ei dwylo ar ei hwyneb fel petai'n dal ei hunan, rhag ofn iddi gwympo'n benysgafn i'r llawr. A phryd bynnag y byddai hi'n gwenu yn ystod y cyfnod hwnnw, roedd fel petai rhywbeth yn llusgo corneli ei cheg i fyny, fel petai pinnau'n treiddio trwy ei chnawd i ddal y wên yn ei lle. Ond hyd yn oed nawr, a hithau'n llawer gwell ac yn bwyta eto, pe baech chi'n dweud y geiriau 'anhwylder bwyta' wrth Doyin, byddai'n gwasgu ei gwefusau'n dynn ac yn denau, ac yn syllu'n hir i'r pellter tan ichi siarad am rywbeth arall.

Roedd Sade yn caru ei chwaer yn fwy nag unrhyw un ac unrhyw beth arall yn y byd, felly neidiodd ar ben Tom Wilson, y bachgen a ddywedodd yn wawdlyd fod Doyin yn rhyfedd. Pwniodd e tan i'w ffrind, Kelly, ei thynnu oddi arno, allan o olwg yr athrawes a oedd ar ddyletswydd yn yr iard. Wnaeth e ddim achwyn amdani, er iddi dorri ei wefus. Doedd e ddim am i unrhyw un wybod fod merch wedi'i drechu.

'Pêl-droed wnaeth fy nharo i yn fy wyneb, Miss,' meddai yn ystod amser cofrestru, gan blygu ei ben brown anystywallt, a syllu ar ei ddesg. Roedd rhai o'r lleill, a welodd beth ddigwyddodd, yn chwerthin yng nghefn y dosbarth.

'Felly, mae dy ben-blwydd di fory – wyt ti'n teimlo'n gyffrous?' clywodd Sade Doyin yn holi, wrth iddi godi a symud o gwmpas yr ystafell i chwilio drwy ei phwrs du sgleiniog am ei ffôn symudol. Trodd Sade i graffu arni; roedd llygaid Doyin yn ymddangos yn anferth eto, ond dim ond oherwydd amlinell y bensel ddu.

'Pam ddylwn i fod yn gyffrous? Mae 'mhen-blwydd i'n digwydd bob blwyddyn,' meddai Sade yn araf, gan gael cip cyflym ar ei chwaer i weld a oedd hi ar fin datgelu cynllun. Ar gyfer pen-blwydd Sade yn ddeuddeg oed, cafodd ei choroni gan Doyin yn frenhines Titania, a chynhaliwyd parti bach iddi hi a'i ffrindiau gorau yn yr ardd. Buon nhw'n gorweddian ar garpedi bach pinc a glas, yn bwyta petalau blodau amryliw o gandi-fflos, ac yn gwrando ar gerddoriaeth. Buon nhw'n chwythu swigod, nes bod yr awyr yn llawn enfysau bach disglair wrth iddyn nhw ddawnsio. Ar gyfer pen-blwydd Sade yn un ar ddeg, bu'n rhaid iddi gael help ei ffrindiau i ddod o hyd i anrhegion bach wedi'u cuddio mewn gwahanol lefydd, yn yr ysgol a gartref – yn y tŷ a'r ardd. Gyda'r nos, daeth pawb at ei gilydd mewn pabell yn yr ystafell fyw, i adrodd storïau ysbrydion.

Roedd Doyin ar y llawr erbyn hyn, yn twrio o dan y gwely, a daeth i'r golwg gyda golwg falch ar ei hwyneb, gan chwifio'i ffôn symudol yn yr awyr. Cododd ar ei thraed, taclusodd ei sgert a dechreuodd ddeialu. 'Dw i ddim yn credu y galla i dy helpu di i ddathlu dy ben-blwydd yn dair ar ddeg, Sade,' meddai, gan edrych ar y wal arall yn hytrach nag ar Sade, wrth iddi wrando ar ffôn yn canu ar ben arall y llinell. 'Dw i ddim am swnio'n gas, ond mae tair ar ddeg yn oedran ofnadwy – dyw e'n ddim byd i'w ddathlu; fyddwn i ddim am fynd 'nôl i fod yn dair ar ddeg, hyd yn oed petawn i'n cael y byd i gyd.'

Dechreuodd Sade brotestio, cyn codi ei hysgwyddau'n ddigalon a chrwydro o'r golwg wrth i Toby ateb y ffôn. Gorweddodd Doyin yn ôl ar ei gwely anniben a dechreuodd siarad ag e mewn llais isel, melys. Meddyliodd Sade efallai ei bod yn gallu deall; i Doyin, dechreuodd yr holl beth rhyfedd gyda bwyta pan oedd hi'n dair ar ddeg oed. Ond cynlluniau gwallgo Doyin ar gyfer penblwyddi Sade oedd yn eu gwneud yn achlysuron hapus. Ac er y byddai ei rhieni yn paratoi bwyd arbennig ac yn rhoi cardiau ac anrhegion iddi, fyddai hynny ddim yr un peth heb adloniant arbennig Doyin iddi hi a'i ffrindiau. Edrychodd ar ei wats – dim ond saith o'r gloch oedd hi, a oedd yn golygu bod ei mam newydd ddechrau ei sifft nos yn yr ysbyty, a bod ei thad yn dal i hepian cyn cael swper am wyth. Penderfynodd Sade redeg i lawr i'r parc, i weld pwy oedd yno.

'Rwy'n mynd i lawr i'r parc,' gwaeddodd i fyny'r grisiau gan gydio yn ei chot a gwasgu ei thraed i'w threnyrs. Doedd dim ateb, felly gadawodd y tŷ yn swnllyd, gan glepian y drws ar ei hôl.

Roedd Tom Wilson yno, gyda'i frawd un ar ddeg mlwydd oed, Mark, a'r ddau'n sgrechian fel seirenau wrth neidio bob yn ail ar y chwyrligwgan, gan droi a throi'n wyllt nes bod eu hwynebau'n pylu yn awyr bŵl y cyfnos. Cyn gynted ag y sylwodd Sade arnynt, rholiodd ei llygaid a dechreuodd gerdded heibio, draw at ochr arall y parc, lle roedd meinciau wrth y siglenni. Roedd Tom yn dair ar ddeg yn barod, a byddai bob amser yn dweud pethau cas wrthi ac yn siarad amdani. Fel arfer, gallai Sade ei anwybyddu, ond lwyddodd hi ddim i wneud hynny yn gynharach y diwrnod hwnnw.

Pan sylwodd Tom arni, neidiodd oddi ar y chwyrligwgan a oedd yn gwichian wrth arafu, a gwibiodd tuag ati gan weiddi'n uchel ac yn ffyrnig. Dechreuodd hithau gilio 'nôl, mewn braw. Chwarddodd yntau, a safodd yn stond, ychydig droedfeddi oddi wrthi. Roedd e'n dal i wisgo'i wisg ysgol, ond roedd wedi mowldio'i wallt yn bigyn brown sgleiniog, fwy na thebyg â dŵr, a'i grys ysgol yn hongian allan o waelod ei siwmper las. Ar waelod ei drowsus, roedd stribedi o fwd a staeniau gwair.

'Wedi cael ofn nawr, wyt ti?' gwgodd, gan gulhau ei lygaid a phlethu ei freichiau.

'Nac ydw,' meddai Sade yn ôl wrtho, gan wasgu ei dwylo'n ddyrnau. Yna, neidiodd Mark oddi ar y chwyrligwgan yn awchus, a dechreuodd redeg o'i hamgylch mewn cylchoedd, gan droelli'n sydyn fel na allai Sade ei ddilyn heb groesi ei llygaid. Ymunodd Tom ag ef, a dawnsiodd o'i hamgylch gan wylofain yn wyllt. A hithau bellach wedi dychryn, â'i llygaid yn rhythu ar y siglenni, arhosodd Sade am seibiant, am guriad calon o fwlch, cyn torri trwy eu cylch a rhuthro am y meinciau, â'i hanadl yn gwichian yn groch. Roedd hi'n gwybod am ffordd, drwy'r llwyni y tu ôl i'r meinciau a thros gât gefn y parc, a fyddai'n ei harwain adref heb iddynt eu dilyn. Roedd gât y parc yn uchel, a doedd hi ddim yn adnabod neb arall a fyddai'n mentro ei dringo, cyn neidio drosti a chwympo'n glep, ond yn ddiogel, i'r ddaear galed ar y pen arall.

Cafodd ei dal gan Tom wrth iddi frwydro drwy wyrddni pigog, trwchus y llwyni. Cydiodd yn ei chanol, a'i throi o gwmpas yn arw fel bod rhaid iddi ei wynebu. Gwasgodd ei harddyrnau cyn iddi fedru ei ddyrnu, a chwarddodd wrth iddi geisio ei frathu. Roedd mwstás o chwys ar ei wefus uchaf, a phigyn ei wallt yn dechrau sigo. Pan ddechreuodd hi sgrechian, gollyngodd ei afael yn sydyn nes iddi faglu a chwympo'n galed. Ymledodd ei choesau hir yn eu jîns denim dros y llawr, a stryffaglodd i godi ar ei thraed eto. Cerddodd tuag ati'n bwyllog, a'i dal i lawr, gan bwyso ei ddwylo ar ei hysgwyddau wrth blygu i syllu ar ei hwyneb. Crychodd ei aeliau, a daeth golwg bryderus i'w lygaid brown. Ymdrechodd Sade yn ffyrnicach, gan feddwl a allai ei daro gyda'i thalcen.

''Drycha, mae'n ddrwg gen i am alw dy chwaer yn rhyfedd, iawn?' meddai'n frysiog, ac yn y cyfnos gallai weld mor ysgafn a golau oedd blew ei amrannau, a pha mor dywyll oedd ei lygaid drwy'r cudynnau tonnog oedd yn disgyn dros ei dalcen. Roedd ei freichiau'n esgyrnog ond yn gryf, ac yn ei gorfodi i lonyddu. Yn y pellter, gallent glywed lleisiau cras, a sŵn *whiiiiiii* rhydlyd yr hen chwyrligwgan, a gwyddent fod Mark wedi dod o hyd i ffrind arall.

'Dwyt ti ddim hyd yn oed yn ei nabod hi – rwyt ti'n dweud ei bod hi'n od achos dy fod ti wedi clywed pobl eraill yn dweud hynny,' meddai Sade yn danbaid. Siaradodd yn uchel ac yn gyflym i ddechrau, ond erbyn iddi yngan ei geiriau olaf roedd ei llais yn dawel, yn wan ac yn araf, wrth i Tom bwyso'n agosach ati, â'i ben ar dro a golwg feddal, ddryslyd ar ei wyneb. Gyda'i wefusau cynnes, cusanodd Tom ei gwefusau.

'Ym... dydd San Ffolant hapus,' meddai'n betrusgar.

Sylwodd Sade, yn freuddwydiol, fod arogl chwys a chreision halen a finegr arno, cyn ymwthio o'i afael llac a rhedeg at y gât, gan ddringo'n uwch ac yn uwch, â'i dwylo cryf yn cydio'n dynn wrth iddi dynnu'i hun i fyny. Galwodd arni, ond anwybyddodd e, gan anadlu'n ddwfn wrth gyrraedd y brig. Cododd ei choes dros y gât, a chamodd i lawr i'r ochr arall. Cafodd gip ar ei wyneb wrth iddo sefyll rhwng y llwyni, fel delw o fachgen ysgol (yn dawel nawr, yn syllu)...

ac am

ryw

reswm

llithrodd

ei throed.

Cwympodd yn lletchwith, gan siglo i ddechrau o'r naill fraich i'r llall, wrth hofran yn yr awyr. Trawodd y ddaear yn galed, gan frathu tu mewn i'w boch. Teimlodd rywbeth bach a bregus a phoen coch yn llifo, yn troelli o amgylch ei phenglog, ac yna sylweddolodd fod Tom yn gweiddi arni, o ochr arall y gât, a'i bod yn methu symud. Roedd saethau poenus drosti i gyd, yn ei hoelio i'r pridd yn dynn, fel petai'n tyfu ohono. Byddai'n siŵr o farw petai'n symud. Doedd hi erioed wedi cael cur pen cynddrwg â hyn; byddai'n rhaid i rywun stopio'r bêl 'na oedd yn rholio o gwmpas ei phen...

*

Llwyddodd i edrych i fyny. Menyw ag wyneb cyfarwydd, caredig. Menyw wen mewn cot frown yn plygu drosti, ei gwefusau'n crychu'n bryderus wrth iddi ddweud: 'Wyt ti'n iawn? Beth sy'n bod? Alli di godi? Ceisia godi ar dy draed,' eto ac eto. Gwenodd Sade; roedd hyn fel gwylio'r teledu – doedd hi ddim yn rhan o'r digwyddiadau.

'Mami... Doyin,' meddai, gan chwerthin nawr, er iddi deimlo poen wrth wthio'r geiriau allan. 'Mae'n brifo... dw i wedi brifo fy mhen.'

Ac yna, cwympodd i gysgu.

Pan ddihunodd Sade, roedd hi mewn ystafell wen, foel â nenfwd uchel. Doedd hi ddim yn adnabod yr ystafell. Roedd y ffenestri mewn fframiau siâp bwa. Teimlai'r heulwen yn treiddio trwy ei hamrannau, ac wrth iddi droi, cafodd syndod o weld ei bod yn gorwedd ar fatras isel, feddal, â phentyrrau a phentyrrau o gwiltiau clytwaith ar ei phen. I ddechrau, allai hi ddim symud oherwydd pwysau'r holl gwiltiau, ond yna llwyddodd i droelli ei chorff a rholio allan ohonynt. Roedd hi'n dal i wisgo ei jîns a'i siwmper las lac. Penliniodd wrth y fatras ac, mewn dryswch, archwiliodd yr holl wahanol glytiau ar y cwiltiau. Roedd wyneb gwahanol ar bob clwt; merched a bechgyn, rhai wynebau hanner-cyfarwydd â llygaid amryliw o bwythau croes, a chegau o edau sidanaidd yn gwenu'n braf.

Cyffyrddodd â'i gwefusau, â'i boch, a meddyliodd, gan hanner gwgu a hanner gwenu, am Tom.

Mae'n rhaid ei bod yn fore, meddyliodd, ac felly'n fore ei phen-blwydd yn dair ar ddeg.

Tua'r un pryd, sylwodd ar y tawelwch llethol. Allai hi ddim clywed ceir na choed. Allai hi ddim clywed unrhyw beth, ddim hyd yn oed sŵn peswch. Gan bendroni'n gysglyd ynglŷn â ble roedd hi, a ble roedd pawb wedi mynd, cododd Sade a cheisiodd edrych drwy'r ffenestr, ond roedd yr heulwen fel llen euraid ddisglair ar y paneli gwydr, ac allai hi ddim gweld drwyddynt. Doedd dim byd ond golau tanbaid y tu allan. Wrth deimlo rhywbeth yn ei rhwystro ac yn cydio o amgylch ei harddwrn, ceisiodd eistedd i lawr eto. Syllodd ar ei harddwrn yn ddidaro, gan ddisgwyl gweld breichled o ryw fath. Yn lle hynny, gwelodd fod dolen lydan o ruban coch wedi'i chlymu o amgylch ei harddwrn, a gweddill y rhuban yn llifo allan drwy ddrws yr ystafell, fel ffrwd o oleuni.

Wrth ddilyn y rhuban at y drws gyda'i llygaid, teimlodd bwysau'r distawrwydd o'i chwmpas, a bu'n rhaid iddi fygu sgrech annaearol pan deimlodd rywbeth yn tynnu – yn gryf y tro hwn – ar ei harddwrn. *Does dim ofn arna i, nac oes.*

Yn sigledig, cododd a dechreuodd gamu, ochr yn ochr â'r rhuban, gan ei ddilyn allan o'r ystafell, drwy gyntedd gwyn hir â rhes ar ôl rhes o ddrysau caeedig i mewn yn y waliau. Roedd y cyntedd mor llachar nes iddi orfod culhau ei llygaid wrth ddilyn trywydd y rhuban o'i harddwrn. Roedd hi'n droednoeth, a'i thraed yn oer ac yn ddideimlad, er bod y carped ar y lloriau mor drwchus fel nad oedd ei thraed yn gwneud unrhyw sŵn. Dechreuodd deimlo'n flinedig, fel petai wedi bod yn cerdded drwy'r cyntedd am oriau ac oriau, er ei bod yn siŵr mai newydd ddechrau roedd hi.

Unwaith, a hithau wedi cael llond bol ar ddilyn plwc y rhuban, dechreuodd Sade wthio'n bryfoclyd ar ddolen un o'r drysau niferus, gan geisio dyfalu beth oedd y tu ôl iddo, ac a oedd rhywun neu rywbeth yno a allai esbonio ble roedd hi. Safodd y tu allan ac edrych i mewn i'r ystafell. Doedd dim ffenestr ynddi, a'r paent ar y waliau'n hen liw melyn pŵl. Doedd dim byd yn yr ystafell. Dim byd ond awyr a thawelwch.

Yna, sylwodd ar gysgod hir ar oleddf, yn torri ar draws nenfwd yr ystafell; cysgod dyn tal mewn het uchel, a'i ben yn plygu, bron fel petai'n edrych yn ôl arni.

Ebychodd, a chymryd cam yn ôl, gan graffu ar yr ystafell o'i blaen, ac yna i fyny ac i lawr ciwb gwyn diderfyn y cyntedd.

Doedd neb yno; sut allai cysgod fod yno?

Pan edrychodd yn ôl i fyny ar nenfwd yr ystafell felen, roedd y cysgod wedi mynd. Yna, gwelodd e eto, yn ymledu'n dywyll dros y llawr, yn llifo'n staen gludiog, yn ymgripio, â'i ddwylo'n ymestyn. Gyda'i holl nerth, caeodd y drws yn dynn, cyn gynted ag y gallai.

Dw i'n dair ar ddeg nawr; dw i'n hŷn na phlentyn, bydda i'n iawn.

Roedd ei gwefusau wedi'u gwasgu'n dynn, yn ymestyn dros ei dannedd, wrth iddi geisio meddwl am ddim byd o gwbl wrth gamu'n gadarn drwy'r cyntedd, gan anwybyddu'r holl ddrysau eraill.

O'r diwedd, pan oedd darn hir hir o'r rhuban wedi'i glymu'n ddolen drwchus y tu ôl iddi, cyrhaeddodd ddiwedd trywydd y rhuban coch, sef drws cilagored, yn wal bellaf y cyntedd. Trwy'r bwlch, rhwng y drws a'r wal, gallai weld rhannau o'r ystafell; balwnau amryliw yn arnofio drwy'r awyr, rhannau o fwrdd wedi'i osod ar gyfer parti, â chadwyni papur drosto. Siglodd yn ôl ac ymlaen ar wadnau ei thraed yn ddryslyd; oedd Doyin wedi trefnu rhywbeth, wedi'r cyfan?

Gwthiodd y drws yn agored. Yno, roedd baner fawr yn ymestyn ar draws yr ystafell: '*Pen-blwydd Hapus yn 13, Sade!*' a thameidiau o rubanau gwyrdd a phinc yn hedfan drwy'r awyr. Yng nghanol bwrdd mawr hir, safai clamp o gacen fawr. Roedd tyrfa fawr o bobl yn eistedd o gwmpas y bwrdd, yn gwisgo hetiau parti ac arnynt streipiau arian, a llond platiau o losin a chreision wedi'u gosod o'u blaenau. Roedd Doyin yno, ynghyd â Tom, ar ben arall y bwrdd. Eisteddai rhieni Sade yno hefyd, a'i ffrindiau gorau, Carrie a Kelly. Roedd Carrie wedi clymu ei gwallt coch tywyll mewn dwy gynffon ddisglair, sgleiniog â rhuban gwyrdd tywyll amdanynt, a Kelly wedi paentio ei hwyneb i edrych fel sebra. Doedd Sade ddim yn adnabod llawer o'r bobl eraill o gwmpas y bwrdd; roedd hen wraig fach wargam yno hefyd nad oedd hi erioed wedi'i gweld yn ei bywyd.

Roedd y bwrdd yn llawn pobl a'r ystafell yn llawn pobl. Safai Sade yno, yn flinedig ac yn syfrdan. Afonydd o ruban coch o'i hamgylch, a hithau ar drothwy ei pharti pen-blwydd. Ond welodd hi neb yn neidio, na neb yn gweiddi:

'SYRPRÉIS!'

Doedd neb yn symud nac yn siarad, a neb fel petaent yn anadlu, hyd yn oed.

'Dw i'n breuddwydio,' sibrydodd Sade, gan wybod na ddylai hi gamu i mewn i'r ystafell honno. 'Mae hyn i gyd yn freuddwyd ofnadwy. Neu mae rhywbeth wedi digwydd,' meddai, ychydig yn uwch.

Doedd neb yn cyffroi, nac yn symud i'w hateb.

'Mae'n rhaid imi fynd yn ôl i gysgu!' meddai, â'i llais yn fain, gan geisio datglymu'r rhuban. Pe baech chi'n mynd i gysgu mewn breuddwyd, oedd hynny'n golygu y byddech chi'n gallu dihuno yn y byd go iawn?

Gollyngodd y deunydd coch cnotiog, a dechreuodd redeg nes ei bod bron â hedfan i lawr y cyntedd, gan chwilio am ei hystafell a chraffu i weld yr unig ddrws agored, y drws lle roedd y fatras a'r goleuadau a'r cwiltiau clytwaith.

Â'i thraed yn taro yn erbyn y carped wrth redeg o naill ben y cyntedd i'r llall, sylweddolodd yn fuan nad oedd hi'n gallu ei weld erbyn hyn; roedd pob drws ynghau. Dechreuodd lefain, a theimlodd halen gwlyb yn arllwys i lawr ei hwyneb wrth iddi gofio na ddylai hi agor unrhyw ddrws oedd ynghau.

Doedd hi ddim yn gwybod beth arall i'w wneud, felly llwyddodd i rwygo'r rhuban oddi ar ei harddwrn rywsut, drwy eistedd â'i chefn yn erbyn y wal a chnoi a chnoi'r rhuban â'i dannedd tan iddo gwympo'n dawel oddi arni.

Yna… 'Paid â chrio, Sade,' meddai merch wrthi, gan agor y drws gyferbyn â hi.

Safai yno, â'r tywyllwch yn ffrâm o'i chwmpas, ei phlethau hir, tenau, tywyll, yn arllwys dros ei hysgwyddau. Roedd ei llygaid yn goch ar ôl iddi fod yn llefain, a dechreuodd eu hagor a'u cau yn araf wrth i Sade godi a chydio yn y wal, gan syllu arni. Roedd y ferch yn gyfarwydd; roedd Sade yn ei hadnabod o rywle arall, amser maith yn ôl – y llygaid anferthol, y croen sych ar wefusau'r ferch, amlinell ei chorff tenau, blinedig –

'Doyin?'

Nid atebodd Doyin, ond safodd wrth ochr y drws, a'i harwain i mewn.

'Est ti i'r parti anghywir, y tro o'r blaen,' sibrydodd. 'Gwnes i hynny hefyd, ond mae popeth yn iawn nawr. Brysia.'

Gan ofni bod rhyw fath o dric ar droed, ond hefyd yn ofni ei bod yn mynd i gael ei gadael ar ei phen ei hun eto, safodd Sade a chydiodd yn llaw Doyin wrth iddi ei hestyn ati. Roedd y parti'n llachar ac yn swnllyd ac yn llawn lliwiau a phobl yn ei chusanu a'i chofleidio, yn ei chodi yn eu breichiau. Dywedodd rhywun wrthi – rhywun roedd hi'n ei adnabod, ond heb fod yn siŵr iawn pwy oedd e – 'Tair ar ddeg oed, heb gwympo oddi ar wyneb y ddaear! Da iawn!' ac yna chwarddodd y person eto ac eto, tan iddo droi'n ddim ond cylch yng nghefn ei meddwl, wedi'i grychu a'i wasgu'n belen o boen, wrth iddi agor ei llygaid led y pen ac edrych ar y fenyw cot frown oedd yn plygu drosti yn y parc.

'Wyt ti'n iawn?' meddai'r fenyw eto, â'i hwyneb yn nofio i mewn ac allan o ffocws wrth ochr wyneb pryderus Tom.

Poerodd Sade ddant allan, ac eisteddodd i fyny'n betrusgar, yn gleisiau i gyd.

'Ydw,' meddai. 'Mae fy mhen-blwydd i fory.'

Cysan Gyntaf yr Anorac

gan John McLay

Addasiad gan Eiry Miles

Cusan Gyntaf yr Anorac

'Wyt ti'n siŵr dy fod ti eisiau gweld hyn?'

'Yn bendant. Wyt ti'n siŵr dy fod ti am imi weld hyn?'

Petrusodd Jac, a theimlodd gryndod yn ei fysedd wrth osod cledr ei law yn erbyn drws ei ystafell wely. Oedd e'n siŵr? Gwenodd, ond doedd dim modd atal ei stumog rhag suddo i lawr at ei goesau sigledig. Heb os, roedd e'n nerfus iawn iawn. Gydag e, roedd merch – un ofnadwy o bert hefyd. Roedd hi yn ei gartref, yn ei llawn bwyll, ac roedd hi am gael golwg ar ei ystafell wely.

Doedd pethau fel hyn ddim yn digwydd bob dydd.

A dweud y gwir, doedd hyn erioed wedi digwydd i Jac o'r blaen. 'Wrth gwrs 'mod i am iti ei gweld. Mae'n rhaid imi ei dangos i ti.'

Y tu ôl iddo, gwenodd Lleucu. Roedd hi mor hardd. Roedd hi'n gwisgo crys-T gwyn a jîns glas a doedd hi ddim yn gwisgo colur – doedd dim angen colur arni hi. 'Iawn 'te, Jac, dangos di'r ffordd,' meddai. 'Mae dy fam wedi rhoi bwyd yn y ffwrn i lawr staer, a bydd e'n barod cyn bo hir. Allwn ni ddim aros mas fan hyn ar ben y grisiau drwy'r dydd.'

'Iawn.' Anadlodd Jac i mewn a gwthiodd y drws yn galed, nes iddo agor bron yn llwyr. Camodd Lleucu heibio iddo ac aeth i mewn. Croesodd Jac ei fysedd, gwasgodd ei lygaid ynghau a mwmialodd wrtho'i hun dan ei anadl wrth ei dilyn i mewn. 'Plîs, paid â gadael iddi feddwl 'mod i'n ffrîc llwyr.' Roedd e'n dair ar ddeg nawr, nid yn wyth oed. On'd oedd hi'n hen bryd iddo fe anghofio am holl obsesiynau ei blentyndod? Beth fyddai hi'n ei feddwl?

Roedd Lleucu Jones, ffrind newydd Jac yn yr ysgol – a oedd yn digwydd bod yn ferch, er nad oedd Jac wedi cael llawer o brofiad gyda merched – yn sefyll yn stond ar ôl camu i mewn i'w ystafell. Roedd hi nawr yn troi ei phen yn araf o ochr i ochr, ac yn edrych i fyny ac yna i lawr. Roedd hi'n ymddwyn fel petai'n cael trafferth ymdopi ag anferthedd yr olygfa o'i blaen.

Meddyliodd Jac iddo'i chlywed yn llyncu ei hanadl yn gyflym. Ond efallai mai dychmygu hynny a wnaeth e. Gwnaeth ryw fath o sŵn 'pop' gyda'i cheg. Beth roedd hynny'n ei olygu? Oedd e'n beth da neu'n beth drwg? Ceisiodd ddilyn ei llygaid i'r cyfeiriad roedd ei phen yn pwyntio ato. Beth oedd ar ei meddwl? Ai cam bach yn ôl at y drws oedd hwnna – i ddianc o ystafell wely'r ynfytyn? Ystafell roedd hi newydd gytuno, fel ffŵl, i fynd i mewn iddi? Gobeithiai nad dyna oedd ar ei meddwl.

Yn ddiweddar, roedd e wedi cael trafferth gwneud ffrindiau. Roedd pawb fel petaen nhw'n hoffi pethau gwahanol iddo fe – dillad, chwaraeon a... jest chwarae o gwmpas. Dyna oedd y pethau cŵl iddyn nhw. Roedd Jac yn hoffi'r holl bethau hynny hefyd, ond nid i'r un graddau, efallai. Roedd ganddo le yn ei fywyd ar gyfer rhywbeth cwbl wahanol i hynny – ac roedd Lleucu newydd weld y peth hwnnw.

Chwythodd Jac ei anadl mas yn swnllyd. Teimlai fel petai wedi bod yn dal ei anadl am hydoedd. 'Wel?' meddai'n betrusgar. 'Beth wyt ti'n 'i feddwl? Oes eisiau imi fynd i'r ysbyty meddwl?'

Trodd Lleucu i'w wynebu, ac er mawr syndod iddo, nid sioc nac ofn oedd yn ei llygaid. Yn hytrach, roedd hi'n edrych arno mewn rhyfeddod. 'Mae'n anhygoel,' meddai. 'Rwyt ti'n dwlu ar *Doctor Who,* on'd wyt ti?'

'Ydw, i raddau.'

'Beth dw i'n ei feddwl yw, rwyt ti'n dwlu arno fe'n llwyr. Yn hollol dros ben llestri. Dyma dy hoff beth di. Dy obsesiwn. Rwyt ti'n dihuno gyda fe, ac yn mynd i'r gwely gyda fe. Rwyt ti'n bwyta ac yn cysgu'r peth.'

Cytunodd Jac. 'Ydw, fwy neu lai.' Edrychodd o gwmpas ar y posteri, dros bob modfedd o'r waliau, a'r silffoedd yn llawn teganau bach plastig. Dyma oedd ei gysegrfan i'w hoff raglen deledu, ac roedd e'n sicr yn un o'i haddolwyr pennaf a selocaf. Allai e ddim gwadu'r peth. Hyd yn oed nawr, daeth gwên i'w wyneb yn syth wrth edrych i gyfeiriad ei ddesg, lle safai llun cardfwrdd maint go-iawn o Tom Baker, wedi'i wisgo fel y Pedwerydd Doctor. Nodiodd ei ben yn araf i gyfeiriad y wal, gan rolio'i lygaid yn falch dros boster o Leela, un o gyfeillion benywaidd mwyaf rhywiol *Doctor Who.* Roedd ganddo lun ohoni wedi'i fframio ar y bwrdd ger ei wely, i'w atgoffa o'r noson beth amser yn ôl pan gwrddodd â Christopher

Ecclestone, a fu'n actio mewn drama yn ei theatr leol. Ai fe, Jac Gruffydd, oedd y person cyntaf un i gael llofnod y Nawfed Doctor ar ôl y datganiad swyddogol i'r wasg, i gyhoeddi mai fe fyddai'r Doctor newydd?

Symudodd Lleucu at ei silff lyfrau, a estynnai o'r llawr hyd y nenfwd, a symudodd ei bys ar hyd casgliad o lyfrau Jac ynglŷn â'r rhaglen gwlt. Roedd rhai ohonynt wedi'u lapio'n boeth, neu wedi'u cadw'n ddiogel mewn waledi plastig clir.

'Ga' i agor y llenni?' gofynnodd Lleucu. 'Alla i ddim gweld popeth yn glir.'

'Fe wna' i hynny,' meddai Jac. Tynnodd y llenni yn ôl, a'u gosod yn daclus y tu ôl i'r soffa o flaen y ffenestr. 'Mae'n ddigon hwyr nawr, felly fydd dim gormod o haul yn dod i mewn. Mae'n pylu cloriau'r llyfrau, ti'n gweld.' Gwingodd Jac wrth sylweddoli sut roedd hynny'n swnio. Sôn am anorac!

Nodiodd Lleucu, ond roedd yn amlwg nad oedd hi'n gwrando. Roedd hi'n rhy brysur yn ceisio deall yr ystafell ryfedd o'i chwmpas, a mwy na thebyg yn poeni bod rhywbeth gwaeth i ddod.

Roedd Lleucu'n wahanol i ferched eraill, ac allai Jac ddim peidio â'i hoffi hi'n fawr. Roedd fel petai ganddi fwy o reolaeth dros ei bywyd, rywsut. Ar ôl siarad gyda hi yn ystod amser egwyl ac mewn gwersi, roedd e'n gwybod bod Lleucu wedi symud o le i le achos gwaith ei thad, a'i bod hi wedi bod i lawer o wahanol ysgolion. Roedd hi eisoes wedi cwrdd â llawer o bobl wahanol yn ei bywyd, a falle mai dyna pam roedd hi mor hyderus. Ond dim ond wrth siarad am bethau cyfarwydd y byddai Jac yn hyderus. Pethau fel *Doctor Who.*

'Wyt ti eisiau eistedd?' holodd Jac. 'Galla i ddeall os wyt ti wedi cael tipyn o sioc.'

Cododd Lleucu ddisg o'r pentwr taclus ar y peiriant DVD a theledu wrth wely Jac. Craffodd ar y clawr am ennyd. '*The Seeds of Death.*' Cododd ambell un arall. '*Earthshock. Vengeance on Varos.*'

Edrychodd ar Jac. 'Oes gen ti bob un ohonyn nhw ar DVD 'te?'

A oedd tamaid o goegni yn ei llais? Neu a oedd ganddi hi wir ddiddordeb? Teimlodd Jac ei berfedd yn troelli eto. Eisteddodd ar y soffa, a chroesodd ei goesau oddi tano. 'Ym, na. Mae'r rhan fwyaf ohonyn nhw'n dal ar fideo ar hyn o bryd. Edrycha yn y cwpwrdd dillad.'

Cododd Lleucu ei haeliau gan wenu. 'Y cwpwrdd dillad? Wyt ti'n siŵr dy fod ti am ddangos dy ddillad isaf i mi mor gynnar â hyn yn ein perthynas, Jac?'

Perthynas? Oedden nhw'n cael perthynas yn barod? Rhoddodd hynny dipyn o siglad iddo.

Agorodd Lleucu ddrysau'r cwpwrdd dillad. Y tu mewn, roedd y silffoedd yn llawn tapiau fideo VHS y BBC. Gyda'u meingefnau du oedd yn union yr un fath, roedd y rhesi dirifedi o dapiau yn dipyn o olygfa. 'Waw. Do'n i ddim yn gwybod bod cymaint o benodau ar gael.'

'Mae 'na gannoedd. Mae'r rhaglen yn mynd er 1963, cofia,' meddai Jac. 'Ond pam fyddet ti'n gwybod? Merch wyt ti – mae'n siŵr nad wyt ti'n hoffi cyfresi gwyddonias fel hyn.'

Daro. Pam ddywedodd e hynny?

'Hei, paid â bod mor siŵr, boi,' meddai Lleucu. 'Dw i'n gwybod tipyn am hyn. Dw i'n cofio gweld y Daleks a'r Cybermen pan o'n i'n fach. Mae fy nhad i'n hoffi pethau fel hyn hefyd – gwelais i rai storïau pan roedd e'n eu gwylio nhw. Mae'n well ganddo fe *Star Trek* ond dw i'n gwybod bod ganddo fe rai pethau *Doctor Who.* Ambell DVD, dw i'n credu.'

Edrychodd Jac ar y llawr yn lletchwith, a syllodd ar ei draed.

'Wir? Sori!. Do'n i ddim yn golygu hynny. Y ffaith na fyddet ti'n hoffi'r pethau hyn achos dy fod ti'n ferch. Dw i ddim yn siŵr pam ddywedais i hynny. Dw i braidd yn nerfus.'

Pam ddywedodd e hynny? Roedd e'n poeni cymaint am gadw'r sgwrs i fynd nes iddo fe ddechrau siarad dwli. Nawr, roedd e'n dechrau teimlo nad oedd pethau'n mynd mor dda ag y dylen nhw. Ym mhob sgwrs arall gyda hi yn yr ysgol, soniodd e ddim am ei hoffter o'r Time Lord crwydrol a'i anturiaethau yn y gofod. Hyd yma, dim ond am bethau cyffredin y buon nhw'n siarad, pethau fel gwaith cartref a ffrindiau a ffilmiau a bwyd. Buon nhw'n chwerthin yn ddi-baid, a wnaeth e ddim baglu dros ei eiriau o gwbl y troeon hynny. Trwy beidio â chrybwyll y peth mawr pwysig yma yn ei fywyd, oedd e wedi difetha'r cyfan? Oedd e wedi'i chamarwain i feddwl ei fod e'n berson gwahanol iawn i'r hyn oedd e?

'Paid â phoeni,' meddai Lleucu. 'Dw i'n maddau i ti.'

Anadlodd Jac mewn rhyddhad. Gwenodd Lleucu, ac yn sydyn, roedd Jac yn ysu am neidio i fyny a'i chusanu.

NA!

Beth oedd yn bod arno fe?

Y twpsyn dwl. Arafa. Bydd popeth yn iawn. Mae hi'n dal yma. Dyw hi ddim wedi gadael nac wedi chwerthin yn afreolus yn dy wyneb a gweiddi, 'Arhosa tan imi ddweud wrth bawb yn yr ysgol amdanat ti. Rwyt ti'n blydi ffrîc!' Roedd hi yma, yn ei ystafell wely. Yn edrych trwy ei bethau ac yn sgwrsio. Roedd hyn yn normal. Dyna beth roedd ffrindiau yn ei wneud o hyd. Ond yn bendant, doedd dim gobaith cael snog.

'Felly ers pryd rwyt ti'n hoffi *Doctor Who*?' meddai Lleucu. Daeth i eistedd wrth ei ymyl ar y soffa. Doedden nhw ddim yn cyffwrdd yn union, ond roedd ei phwysau ar y clustogau sbwng yn ei wthio ymlaen tuag ati.

Symudodd Jac bwysau ei gorff rhywfaint, i gadw cydbwysedd, a llithrodd oddi wrthi'n nerfus. Gobeithiai nad oedd hi wedi sylwi. 'Ers imi fod yn wyth oed. Dechreuais i wylio'r rhaglen ar UK Gold, ac fe dyfodd yr obsesiwn wedyn.'

Nodiodd Lleucu. 'Felly, rwyt ti wedi casglu'r holl bethau 'ma mewn pum mlynedd? Wyt ti wedi gwario popeth arnyn nhw – yr holl arian rwyt ti erioed wedi'i gael?'

'Bron popeth. Anrhegion pen-blwydd, cyflog fy rownd bapur.' Gwelodd Jac fod Lleucu ar fin gofyn cwestiynau am ei waith, felly aeth ymlaen i esbonio. 'Rwy'n gwneud rownd bapur bob bore ac yn helpu dyn dw i'n ei nabod sy'n cadw stondin nwyddau mewn cynadleddau *Doctor Who.* Mae e'n talu rhan o'r cyflog mewn arian, a'r rhan arall mewn nwyddau. Dw i'n cael cynigion gwych ganddo fe.'

'Rwyt ti'n mynd i gynadleddau? Waw.'

Daro. Oedd e wedi datgelu gormod? O wel, roedd yn rhy hwyr nawr, felly man a man iddo ddweud popeth arall hefyd.

'Ac rwy'n prynu a gwerthu tipyn ar eBay,' meddai. 'Dw i wedi gwneud tipyn o arian drwy brynu pethau'n rhad a'u hailwerthu nhw wedyn.'

Roedd yn anodd i Jac weld a oedd e wedi creu argraff ar y ferch ar y soffa yn ei ystafell wely – ie, y *ferch* yn eistedd yn ei ystafell wely *e* – neu a oedd e wedi dangos haen ryfedd arall o'i gymeriad hynod. Daro. Pam roedd e'n parablu 'mlaen am y peth? Gwyliodd hi'n edrych o gwmpas yr ystafell unwaith eto, cyn troi tuag ato. 'Felly. Ydyn ni am gael snog 'te?'

Beth?

Yn sydyn, daeth tro Jac i lyncu ei anadl yn gyflym. Caeodd ei lygaid, a'u hagor eto'n gyflym.

Oedd. Roedd hi'n dal yno.

'Ym, wyt ti newydd ddweud beth dw i'n credu ddywedaist ti?'

Plis dwed ydw. Plis dwed ydw.

Gwenodd Lleucu eto, a phwysodd ymlaen ato rhyw-faint. 'Ydw. Hoffwn i snog nawr, plis. Rwyt ti'n bishyn ac rwy'n dy hoffi di. Ac mae'r *Cybermen* yn hollol rywiol.'

Llyncodd Jac ei boer. Oedd e wedi marw, ac wedi cyrraedd Gallifrey?

'Iawn 'te.' Heb wybod beth arall i'w wneud, gan nad oedd e wedi cusanu merch o'r blaen, caeodd ei lygaid a phwysodd ymlaen tuag ati.

AROS!

'Aros!' meddai. Agorodd ei lygaid ac eisteddodd yn ôl. 'Aros am funud.'

Agorodd Lleucu ei llygaid ac eisteddodd hithau'n ôl hefyd.

'Beth? Dwyt ti ddim eisiau cusanu?'

'Ydw,' meddai Jac. 'Ydw, wrth gwrs 'mod i eisiau cusanu. Ydw, wir. Ond bod... does dim ots gen ti?

'Ots? Am beth?' meddai, mewn llais didaro.

'Hyn. Hyn i gyd?' pwyntiodd yn wyllt o'i gwmpas. 'Fy obsesiwn gwallgo gyda *Doctor Who*. Roedd e'n dipyn o sioc i ti, on'd oedd? Dyw hyn ddim yn dy *boeni* di?'

'Nac ydi. Ddim o gwbl. Wel, falle ei fod e braidd yn od i feddwl dy fod ti'n gwisgo sliperi TARDIS, a bod dim dillad yn dy gwpwrdd – ond galla i arfer 'da hynny. Nawr, dere 'ma.'

Yna, cyffyrddodd ag ysgwydd Jac yn ysgafn, a symudodd yn ôl tuag ato, gan droi ei phen yn raddol.

Aeth Jac amdani'r tro hwn, heb betruso. Cafodd gip cyflym ar Lleucu'n symud tuag ato, â'i hwyneb eithriadol o hardd, cyn cau ei lygaid.

'O. Iawn 'te,' meddai'n frysiog, eiliadau cyn y cyffyrddiad.

Cyffyrddiad gwefusau'r ddau.

Dechreuodd Jac grynu, a theimlodd saeth drydanol anhygoel yn saethu allan o'u man cyffwrdd. Gallai arogli ei harogl hyfryd wrth iddo symud ei wefusau, gan ddilyn symudiad ei gwefusau hi. Roedd yn dyner ac yn ofalus.

Doedd hi ddim yn gusan wlyb, ych a fi. Roedd yn teimlo'n gwbl naturiol. Ceisiodd gadw'i dafod yn ôl, ond yn sydyn teimlodd dafod Lleucu'n crwydro, fymryn bach, i'w geg e. Cyffyrddodd tafodau'r ddau, a theimlodd Jac ias arall.

Doedd y gusan ddim yn wlyb, er hynny. Rywsut, roedd eu gwefusau'n dal i lynu'n dynn wrth ei gilydd, ac yn teimlo'n gwbl naturiol gyda'i gilydd.

Yn reddfol, symudodd Jac ei law i orffwys ar ei phen-glin. Roedd yn teimlo fel y peth iawn i'w wneud. Doedd e ddim yn rhy feiddgar, ond yn addfwyn, rywsut.

Gwasgodd hithau ei ysgwydd, a'i rhwbio ychydig.

Ymgollodd Jac yn ei chusan am rai munudau. Yn nes ymlaen, allai e ddim cofio am faint buon nhw yn eistedd fel'na. Yn cusanu!

Allai e ddim credu ei fod yn gwneud hyn. Roedd e wedi breuddwydio am y foment hon ers misoedd, ers y diwrnod cyntaf y dywedodd hi helô wrtho, yn ystod ei diwrnod cyntaf yn yr ysgol pan oedden nhw yn eu gwers Ddaearyddiaeth.

Ar yr un pryd, symudodd y ddau oddi wrth ei gilydd.

Roedd Jac yn gwenu o glust i glust.

Roedd gwên fach swil ar wefusau Lleucu, ac ychydig o liw ar ei bochau erbyn hyn.

'Mwynheais i hynny,' meddai Jac.

Daro. Pam ddywedodd e hynny? Y mwlsyn dwl.

'Sori,' meddai Jac, gan faglu dros ei eiriau. 'D – d – do'n i ddim yn bwriadu dweud hynny. Fy nghusan gyntaf i oedd honna a—'

'Dy gusan gyntaf di?' roedd golwg braidd yn syn ar Lleucu. 'Wel. Fyddwn i byth wedi dyfalu.'

Oedd hi'n ei ganmol?

'Wel... ie,' meddai Jac. 'Fy nghusan iawn gyntaf. Cusanais i Elizabeth Sladen ar ei boch unwaith, ond dw i ddim yn credu bod hynny'n cyfri.'

Cododd Lleucu ei haeliau'n chwilfrydig. 'Gad imi ddyfalu. Un o gyfeillion Dr Who, ie?'

'Ie. Hi oedd yr orau, yn fy marn i. Hi oedd yn actio rhan Sarah Jane Smith o—'

'Gad hi'n fan'na, Romeo. Fi yw'r ferch yn dy fywyd nawr, ti'n cofio? Felly llai o'r siarad 'ma am ferched pert eraill.'

TAIR AR DDEG

Allai Jac ddim credu ei glustiau.

Oedd hyn yn golygu ei bod hi am fynd allan gyda fe?

'Ie, iawn. Wrth gwrs. Sori!' Yn sydyn, cofiodd fod ei law yn dal i fod ar ei phen-glin. Tynnodd hi'n ôl, fel petai wedi'i llosgi.

Cydiodd Lleucu yn ei law, a'i rhoi yn ôl yn yr union fan. 'Na, mae hynny'n iawn, Jac. Fe gei di wneud hynny.'

Meddyliodd Jac am funud. Roedd angen esboniad arno o'r holl sefyllfa.

Roedd gwir angen esboniad arno.

'Felly... ydi hyn yn golygu ein bod ni'n rhyw fath o... gwpwl nawr? Yn gariadon? Ond wir, paid â phoeni os mai dim ond arbrawf bach oedd hwn – ychydig o sbort, a dim byd mwy difrifol. Fyddwn i ddim yn dy feio di. Wel, mae ond yn deg iti weld sut dw i'n cusanu, cyn cytuno i fynd mas 'da fi.'

'Cariadon? Wrth gwrs. Pam lai?'

Ie! Ie! Ie!

'Felly dyw'r holl bethau *Doctor Who* 'ma ddim yn dy boeni di o gwbl 'te?'

'Nac ydyn.'

Culhaodd Jac ei lygaid, i graffu arni'n agosach, i weld a oedd unrhyw arwyddion drwg, fel gwefusau'n crynu, a fyddai'n lledu'n wên fawr, wawdlyd, cyn iddi weiddi – 'Wrth gwrs 'mod i'n jocan, yr hen anorac rhyfedd, trist!'

Na – er syndod i Jac, roedd hi'n edrych fel petai hi'n hollol o ddifrif.

'Does dim ots gen i o gwbl dy fod ti'n hoffi *Doctor Who*. Dyna beth rwyt ti'n ei wneud gartref – ac yn amlwg, mae'r cyfan yn synhwyrol ac rwyt ti'n ei gadw dan reolaeth yn dy fywyd.'

'Beth wyt ti'n 'i feddwl?' meddai Jac. Roedd y sgwrs hon yn dechrau swnio fel un o'r sgyrsiau hynny mewn ffilm gawslyd o Hollywood, pan fyddai pawb yn eu harddegau'n siarad fel petaen nhw'n oedolion.

'Wel, dwyt ti byth yn crybwyll y peth yn yr ysgol. Dw i'n dy nabod di ers tri mis nawr, a dwyt ti erioed wedi yngan y geiriau '*Time and Relative Dimensions in Space*.'

'Mae hynny'n wir,' meddai Jac.

'Mae gen ti ddiddordebau eraill. Rwyt ti'n gwneud imi chwerthin, ac yn bendant, ti yw'r pishyn mwyaf yn ein blwyddyn ni. Fi yw'r un lwcus.'

Daeth teimlad cynnes braf yn ôl i galon Jac. Fe ledaenodd y teimlad cynnes braf yma drwy'i gorff i gyd. Oedd hynny'n wir? Oedd hi'n iawn i ddweud bod y rhan hon o'i fywyd dan ei reolaeth yn llwyr, a'i fod e, fel arall, yn fachgen tair ar ddeg oed cwbl gyffredin?

'Diolch.' Gwridodd ei wyneb nawr. 'Rwy'n credu dy fod ti'n hollol wych hefyd. Rwy'n dwlu arnat ti. Mae hynny'n ffaith. Dw i heb feddwl am neb arall ers misoedd.'

O waelod y grisiau, clywon nhw fam Jac yn gweiddi. Roedd bwyd yn barod.

Safodd Lleucu ar ei thraed. 'Wel, dyna 'ny 'te. Beth am fynd allan gyda'n gilydd, a chael hwyl. Falle ga' i 'mherswadio i wylio pennod o *Doctor Who* gyda ti, hyd yn oed.'

Teimlodd Jac ei bengliniau'n siglo, er ei fod e'n dal i eistedd. Heb os, hi oedd y person mwyaf perffaith yn y bydysawd. Cydiodd Lleucu yn ei ddwylo, a'i helpu i godi ar ei draed. Roedden nhw'n agos at ei gilydd eto. Pwysodd Jac ymlaen, i roi cusan fach gyflym ar ei boch. 'Dw i'n credu y bydda i'n treulio llawer llai o amser yn yr ystafell yma o hyn ymlaen.'

'Wel, ddim os ca i fy ffordd, Casanova.' Chwarddodd Lleucu.

Chwarddodd Jac hefyd, a gadawodd y ddau'r ystafell, law yn llaw, a mynd i lawr y grisiau i gael tamaid o fwyd.

11

Ar Dân dros Dair ar Ddeg

gan Margaret Mahy

Addasiad gan Bethan Mair

Ar Dân dros Dair ar Ddeg

Tair ar ddeg!
Tair ar ddeg!

Dyna fe, yn dod amdani... deng niwrnod i ffwrdd... naw... wyth... TAIR AR DDEG!

Roedd y gair yn gwneud sŵn ym mhen Esyllt, sŵn tebyg i rwnian curiad drwm ac yna nodyn fel cloch. Tairrrr arrrr DDEG!

Ond roedd pawb yn cael eu tair ar ddeg. Doedd dim ffordd o'i osgoi. Allech chi byth â dweud, 'Mae tair ar ddeg yn rhif anlwcus. Fe lyna i wrth ddeuddeg.' Neu gymryd llam dros ben tair ar ddeg yn syth at bedair ar ddeg.

Saith niwrnod...

Roedd pob un o ffrindiau Esyllt – Anwen, Lowri a Rhian, eisoes yn dair ar ddeg ac, er nad oedd e'n gwneud fawr o wahaniaeth ar y cyfan, weithiau, i Esyllt roedd hi fel pe bai holl blant yr ysgol yn dringo rhyw goeden fawr, a bod ei ffrindiau wedi cwtsho ynghyd gan fownsio a chanu a chael anturiaethau ar ryw gangen fywiog ychydig uwch ei phen. Byddai bechgyn fel Griff Williams a Dafydd Francis yn ymddwyn ychydig yn wahanol gyda Lowri, Anwen a Rhian, fel pe baen nhw'n cyfnewid negeseuon cudd nad oedd rhywun deuddeg oed yn gallu eu darllen. Pan fyddai hi'n dair ar ddeg, efallai y byddai bywyd cyffrous newydd yn dechrau, a byddai Dafydd Francis yn anfon negeseuon cudd ati hi.

'Man a man i ti fwynhau dy ddiwrnodau olaf yn ddeuddeg!' meddai mam Esyllt, gan sychu briwsion oddi ar un o'r efeilliaid. 'Fyddi di byth yn ddeuddeg eto gydol dy fywyd!'

'Ta beth,' meddai Siwan, chwaer fawr Esyllt, 'mae tair ar ddeg yn union yr un fath â deuddeg heblaw bod mwy o waith cartref gen ti. Big deal!'

Ochneidiodd Esyllt. 'Rywsut, pan fydda i'n dair ar ddeg dw i'n teimlo y bydd fy mywyd – o, wn i ddim – yn llawn cyffro!'

Chwarddodd Siwan. 'Yn dy freuddwydion!' gwaeddodd hi. 'Dim ond rhagor o ysgol a Mam yn dweud y drefn yw e. Ond, hei – falle bydd y crwt Francis 'na lawr yr hewl yn dy ffansïo di'n dwll!'

'Cau dy ben!' gwaeddodd Esyllt yn grac, am fod 'na ronyn o wirionedd yn yr hyn roedd Siwan newydd ei ddweud.

'Dyna ddigon,' meddai eu mam. Ond roedd Esyllt wedi gadael, gan gau'r drws yn glep ar ei hôl.

Unwaith yr oedd hi tu fas, sleifiodd ar hyd y feranda a redai ar hyd tair ochr o'r tŷ, ac edrych allan dros y gerddi, dros y lawnt a thrwy'r coed at y bryniau yn y pellter. Yna, gan lamu'n hyderus dros y stepen dop rydd (yr un roedd

Dad wastad yn mynd i'w thrwsio ddydd Sadwrn nesaf, neu'r dydd Sadwrn ar ôl hynny) rhedodd nerth ei thraed at waelod yr ardd. Roedd sychder cynta'r haf yn dechrau cydio a, hyd yn oed gyda'r tanciau mawr i ddal y glaw a ddisgynnai ar eu to llydan, byddai'n rhaid iddyn nhw fod yn ddarbodus gyda'u dŵr o hyn allan. Ond roedd dail ir cynta'r haf oddi ar gangen gerllaw yn dal i'w chysgodi, a, chan fwynhau bod ar ei phen ei hunan o'r diwedd, dawnsiodd Esyllt, gan chwyrlïo a chanu wrth droi.

'Deuddeg! Deuddeg!'

Mynd, mynd, mynd!

Tair ar ddeg! Tair ar ddeg!

Tyrd, tyrd, tyrd!'

Roedd hi'n mynd i gael parti. Byddai Anwen, Lowri a Rhian yn dod, wrth gwrs, ond byddai yno blant eraill hefyd. Bydden nhw'n llusgo stereo'r lolfa draw at y ffenest fel y byddai modd i Esyllt a'i ffrindiau chwarae CDau a rapio. Roedd hwn yn mynd i fod yn barti cŵl... cyhyd ag y byddai'n parhau'n sych.

Cyfri'r diwrnodau! Chwe diwrnod... pump... pedwar ... tri... dau...

Ei diwrnod olaf yn ddeuddeg.

'Dw i'n mynd i gysgu'r nos yn nhŷ Ffion,' meddai Siwan. 'Ond hei, mi fydda i adre'n ddigon cynnar yn y bore i roi d'anrheg i ti.' Rhoddodd gwtsh mawr i Esyllt. 'Cofia ddal i hongian,' gwaeddodd, ac roedd hi'n amlwg o'r ffordd lac y rhedai hithau i'r gwyll ei bod hi'n dal i hongian hefyd.

'Mae rhagolygon y tywydd yn dda,' meddai tad Esyllt. 'Fe drwsia i'r stepen yna ben bore.'

'Ond cer i lanhau'r lle tân nawr,' galwodd ei mam. 'Fe losgais i bentwr o sbwriel y bore 'ma ac mae'n llawn o ludw.' Roedd yr efeilliaid newydd gael bath. Edrychai'r ddwy'n lân ac yn binc, er eu bod yn grwgnach.

'Amser gwely i chi'ch dwy,' meddai Mam. Estynnodd fraich at Rhiannon a sgubo Branwen i fyny â'r fraich arall. 'Amser cysgu i ddwy ferch fach drwm,' meddai gan ochneidio a dechrau dringo'r grisiau.

'Maen nhw'n tyfu'n rhy fawr i'w cario,' galwodd Esyllt ar ei hôl.

'Paid â becso! Pan fyddi di'n dair ar ddeg, byddi di'n gallu eu codi'n hawdd,' ebychodd ei mam dros ei hysgwydd.

Amser darllen. A hithau wrth ei bodd gyda'r tawelwch, gwnaeth Esyllt ei hun yn gyffyrddus yn ei hoff gadair a chwilio am y dudalen gywir.

Ond yna ffrwydrodd y drws ar agor. Dyna lle roedd tad Esyllt, yn dal ei benelin chwith yn ei law dde. Roedd ei wyneb gwaedlyd yn dangos yn glir ei fod mewn poen ofnadwy, fel rhywbeth mewn ffilm arswyd. 'Mae'n iawn, mae'n iawn!' mwmialodd (er ei bod yn amlwg i unrhyw un nad oedd e ddim yn iawn), 'Mi wnes i…' (gan faglu am yn ôl a glanio'n glewt yn un o'r cadeiriau gorau, a gweiddi mewn poen wrth iddo eistedd.)

'Dad!' sgrechiodd Esyllt.

'Fe gwympais i,' meddai, yn y llais tyn, tawel yna. 'Y stepen rydd yna...'

'Mam!' gwaeddodd Esyllt, wrth i'w mam ymddangos ar ben y grisiau yn rhwbio'i dwylo. Edrychodd i lawr, heibio i Esyllt, a rhoi gwaedd.

'Beth ddigwyddodd?'

'Y stepen rydd yna,' meddai tad Esyllt eto. 'Fe gwympais i wysg fy ochr a...'

Erbyn hyn roedd Mrs Evans yn gwyro dros ei gŵr tra oedd Esyllt yn loetran gerllaw, yn ysu am roi help llaw ond heb wybod sut.

Fe sythodd ei mam. 'Esyllt,' meddai, 'mi fydd e'n iawn, ond bydd yn rhaid i mi fynd â Dad i'r ysbyty, felly bydd angen i ti ofalu am yr efeilliaid am awr neu ddwy.'

'Wrth gwrs, Mam. Paid â becso!' meddai Esyllt. Yr hyn yr oedd hi wir am ei wneud oedd gyrru dros y bryn gyda'i rhieni ond, er bod yr efeilliaid fel arfer yn cysgu'n sownd, roedd hi'n amhosibl eu gadael ar eu pennau'u hunain. Cydiodd ei mam yn allweddi'r car, a dechreuodd arwain tad Esyllt yn ofalus ar hyd y feranda ac i lawr y grisiau ochr. Gwyliodd Esyllt y ddau'n croesi'r lawnt ac yn diflannu i'r coed ger y garej.

Aeth yn ôl i'r tŷ. Roedd y tawelwch oedd wedi bod yn gymaint o bleser iddi funudau ynghynt wedi troi'n fygythiol. Prin y byddai hi'n cael ei gadael ar ei phen ei hun am amser hir. Fel arfer, pan âi ei rhieni allan gyda'i gilydd, byddai Siwan ac un neu ddwy o'i ffrindiau'n meddiannu'r tŷ, gan chwarae CDau na fyddai ei mam yn eu caniatáu fel arfer, am eu bod yn rhy swnllyd neu am fod y geiriau'n anaddas.

Felly, aeth Esyllt ati i ddarllen, tra oedd y tawelwch yn crynhoi o'i chwmpas, nes iddi benderfynu o'r diwedd yr hoffai gael paned o de. Ond wrth iddi gamu i'r cyntedd, stopiodd mewn braw.

Roedd yr awyr o'i chwmpas wedi newid... edrychai'n dduach... aroglai'n fyglyd...

Doedd dim rhyfedd!

Roedd mwg yn sleifio allan o dan ddrws y gegin. Teimlodd Esyllt ei chalon yn rhoi llam cyn dechrau curo fel drwm gwallgo. Rhedodd at ddrws y gegin a'i agor fymryn bach, bach, a rhowliodd cwmwl enfawr o fwg allan ati. Drwy'r mwg cafodd gip ar ysbrydion llachar, drwg.

Roedd y gegin ar dân.

Gan fygu a phesychu, caeodd Esyllt y drws yn glep unwaith eto. Daeth rhywbeth brawychus i'w meddwl yr eiliad honno. Yr efeilliaid! Roedd eu hystafell wely'n union uwchben y gegin.

A hithau'n dal i besychu, rhedodd Esyllt am y grisiau. I fyny! I fyny! Ymlaen! Ymlaen! Yn gynt! Yn gynt! Wrth daflu drws ystafell wely'r efeilliaid ar agor, synnodd o weld bod y lle eisoes yn niwlog, a bod mwg yn cordeddu i fyny rhwng y bylchau cul ym mhren y llawr. Dechreuodd

Branwen besychu. Heb wybod yn iawn beth i'w wneud, cydiodd Esyllt ynddi ond dechreuodd Branwen aflonyddu, gan gwyno am gael ei deffro mor wyllt. Ag un llaw, gollyngodd Esyllt ochr y cot i lawr a chipio Rhiannon â'r fraich arall.

Roedd Branwen yn sgrechian yn orffwyll, a'r sŵn yn canu ym mhen Esyllt. Cymer anadl, meddai Esyllt wrthi'i hun. Ond nid un rhy ddofn.

Yna, gan fynd ar ei chwrcwd o dan y don o fwg oedd yn codi o'i chwmpas, anadlodd Esyllt yn ofalus, a rhoi Rhiannon, oedd yn gwingo fel cynrhonyn, ar ei chlun chwith, a phwyso Branwen, oedd yn tynnu'n groes iddi, ar ei hysgwydd dde. Cafodd nerth o rywle a dechrau brasgamu'n gyflym ond yn bwrpasol i lawr y grisiau ac i'r cyntedd, heibio i fwrdd y cyntedd lle roedd y ffôn yn gorwedd fel broga gwelw ar ben petryal tywyll y llyfr rhifau ffôn.

Roedd ei thad yn aelod gwirfoddol o'r frigâd dân. Cadwai'r teclyn fyddai'n galw'r dynion tân gwirfoddol at eu gwaith ar y silff uwchben y bwrdd, ond doedd ei thad ddim yma a doedd neb ond Esyllt yn gwybod bod y tŷ ar dân. Y ffôn, meddyliodd Esyllt. Yna... Un peth ar y tro! Yr efeilliaid!

Yr efeilliaid!

Rhywle, draw i'r chwith, roedd Esyllt yn ymwybodol o olau oren, yn diflannu ac yna'n ailymddangos wrth iddi stryffaglu gyda dolen drws y ffrynt. Yn sydyn, dechreuodd rhywbeth sgrechian yn y tŷ. Am un eiliad ofnadwy, meddyliodd Esyllt mai Sam y gath oedd yno, a gwyddai nad oedd wiw iddi feddwl amdano. Ond y larwm mwg oedd yn gwneud y sŵn, wedi deffro o'r diwedd, gan lefain fel pe bai mewn poen.

Yna roedd Esyllt tu allan, yn rhedeg o gwmpas y feranda at y grisiau ar ochr y tŷ. I lawr, i lawr, yn ofalus i lawr... yna ar draws y lawnt i'r tŷ chwarae. Yn gyflym, gwthiodd un efaill, ac yna'r ail, i mewn i'r tŷ chwarae tywyll. Caeodd y drws a thynnu'r rhaff o gwmpas y bachyn i wneud yn siŵr y byddai'n aros ar gau.

'Tair ar DDEG!' meddai'r gloch yn ei phen fel pe bai'n galw arni. 'Dim ond deuddeg ydw i! Mae hyn yn ormod o gyfrifoldeb, yn rhy gynnar!' gwaeddodd yn ôl, wrth iddi droi ac edrych ar y tŷ am y tro cyntaf.

Roedd y feranda o flaen y gegin yn wenfflam, y fflamau'n llamu i fyny ar hyd pyst y feranda, yn fyw ac yn frwd. Drwy'r agen lle yr arferai ffenest y gegin fod, gallai weld y gegin wedi'i thrawsnewid yn ogof i ddraig, yn llawn o olau brawychus. Llifai'r mwg yn donnau allan i awyr iach yr ardd.

Gwyddai mai un o reolau'r frigad dân oedd y dylai redeg drws nesaf a ffonio o'r fan honno. Ond, i Esyllt, roedd drws nesaf yn bell i lawr y ffordd. Felly, yn lle gwneud hynny, rhedodd yn ôl at y grisiau ar ochr y tŷ ac ar hyd y rhan honno o'r feranda nad oedd yn llosgi – dim eto – ac yn ôl i mewn i'r cyntedd oedd yn llawn o fwg a sŵn sgrechian brawychus y larwm yn atseinio drwy'r lle. Dyna fwrdd y cyntedd... dyna'r ffôn yn gorwedd ar ei ben. Cymerodd Esyllt lond ei hysgyfaint o awyr iach yr ardd ac yna, yn ei chwrcwd, gwthiodd ei ffordd i mewn. Ymbalfalodd am y ffôn a'i dynnu i gyfeiriad y drws.

Roedd y derbynnydd yn crynu yn erbyn clust Esyllt a sylweddolodd o'r diwedd mai ei dwylo hi oedd yn crynu go iawn. Cymer bwyll, dywedodd wrthi'i hun. Anadla. Anadla eto! A chlywodd lais arall – ond ei llais hi ei hun, heb os – yn dweud, 'Estynna ymlaen! Bydd yn dair ar DDEG! Rhaid i ti ymddwyn yn gyfrifol.'

Dyna fe, y gloch yna eto!

A hithau'n dal yn ei chwrcwd, ac yn ceisio cadw'i bys mor llonydd ag y gallai, deialodd rif y gwasanaethau brys. Roedd y sain ddeialu'n canu un nodyn yn ei chlust dde, gan dorri ar wylofain truenus yr efeilliaid yn y tŷ chwarae.

Atebodd llais ar unwaith. 'Pa wasanaeth sydd ei angen arnoch?'

'Tân!' dywedodd, bron yn sgrechian. 'Y frigâd dân!'

Ond roedd ffôn arall yn canu'n barod.

'Gwasanaeth tân,' meddai llais arall.

'Mae ein tŷ ni ar dân,' meddai Esyllt.

'Cyfeiriad,' meddai'r llais.

'3 Ffordd y Clogwyn, i fyny o Fae Cregyn... tŷ teulu Evans... yr hewl sy'n dod lan o'r ffordd fawr a...'

'Ffordd y Clogwyn,' meddai'r llais. 'Dw i'n gweithredu'r alwad nawr. Arhoswch am eiliad, os gwelwch yn dda.'

Plygodd Esyllt yn nes at y llawr, gan adael i fwg lifo drosti allan o'r tŷ.

'Nawr 'te, gwrandewch,' meddai'r llais. 'Peidiwch â cheisio achub dim byd... ewch mas o'r tŷ. Os oes llawer o fwg, ewch ar eich pedwar a...'

'Dw i mas yn barod. A dw i bron â bod yn gorwedd yn fflat,' meddai Esyllt.

'Mae'r frigâd dân ar ei ffordd,' meddai'r llais.

Rhywle o gyfeiriad y glwyd roedd rhywun yn gweiddi. Ac yn y tŷ roedd sŵn main arall yn ychwanegu at y dryswch. Teclyn ei thad oedd y sŵn yna, wrth gwrs, yn gwichian o'r silff uwchben bwrdd y cyntedd. Pan ganai hwnnw, ar ôl cael ei danio'n otomatig gan y frigâd, byddai ei thad fel arfer yn rhuthro i'r car, er mwyn gallu gyrru i'r orsaf dân lle roedd ei sgidiau dyn tân a'i helmed a'i got fawr yn aros amdano. Ond y tro hwn ei dŷ e oedd yn sgrechian mewn poen, ac roedd e'n bell i ffwrdd yn y dref, gyda'r meddyg. Cofiodd Esyllt yn sydyn am y sarff o biben ddŵr oedd yn hongian ar ochr y tŷ haf. Gollyngodd y ffôn a rhedeg i gyfeiriad y grisiau ochr.

Roedd y byd yn llawn o sŵn. O'i blaen yn y tŷ chwarae, sgrechiai'r efeilliaid. Y tu ôl iddi, udai'r larwm mwg, rhuai'r tân a chanai teclyn ei thad.

'Hei!' Roedd 'na lais yn galw, wrth i rywun lamu ar draws y lawnt.

Roedd hi'n adnabod y llais... Dafydd Francis.

'Ro'n i'n dod i lawr y bryn a gwelais y fflamau,' gwaeddodd, gan redeg tuag ati.

Erbyn hyn roedd Esyllt yn dadweindio'r biben ddŵr, ac yn agor y tap. Rhoddodd y biben naid yn ei dwylo fel pe bai'n fyw. Saethodd dŵr ohoni.

'Anghofia'r biben ddŵr. Mae angen cael y plant bach mas,' gorchmynnodd Dafydd mewn llais diamynedd.

'Dw i wedi gwneud hynny,' gwaeddodd Esyllt yn ôl. 'Wyt ti ddim yn gallu'u clywed nhw'n sgrechian?'

'Ffonia'r frigâd dân,' gwaeddodd Dafydd yn awdurdodol, gan ddal i redeg wrth ei hochr wrth iddi anelu am y tŷ.

'Dw i wedi gwneud hynny,' gwaeddodd hithau eto, gan wthio'r biben ddŵr i gyfeiriad y border o dan y feranda flaen lle roedd y fflamau'n llamu'n wyllt. Gweryrodd y tân, fel anifail yn taflu'i ben yn ôl, a hisian... cododd cwmwl newydd o fwg. A nawr roedd 'na sŵn newydd... yn y pellter, yn dawel iawn i ddechrau, sŵn wylo, sŵn rhybuddio, yn codi a disgyn, codi a disgyn...

Roedd yr injan dân ar ei ffordd.

'Oes yna rywbeth arall y dylen ni ei – ei achub?' gofynnodd Dafydd yn ansicr. Eiliad yn ôl bu'n ei gorchymyn i wneud hyn a'r llall ond, erbyn hyn, swniai fel pe byddai'n fodlon gwneud unrhyw beth y dymunai Esyllt iddo'i wneud.

'Ddylen ni ddim mynd i mewn,' meddai Esyllt. 'Mae'r lle'n llawn mwg. Mae'r efeilliaid yn ddiogel, gall y gath ddianc drwy ffenest, dw i'n meddwl, ac mae'r injan dân ar ei ffordd. Gwranda!'

Roedd sŵn udo'r seiren yn gliriach yn barod. Dychmygodd Esyllt yr injan yn rasio'n nes ac yn nes o hyd, o gwmpas y corneli ar hyd y ffordd.

'Beth alla i ei wneud?' gofynnodd Dafydd Francis, gan estyn yn wangalon am y biben ddŵr. Yn sydyn, sylweddolodd Esyllt ei bod hi'n chwerthin. Syllodd Dafydd arni fel pe bai hi'n wallgo bost.

'Dere i 'mharti pen-blwydd i fory!' meddai. 'Mi fydda i'n dair ar ddeg.'

Roedd y feranda ger y grisiau blaen yn dal yn wenfflam ond doedd y tân ddim yn lledu mwyach, diolch i'r cleddyf arian o ddŵr a ddôi o'r biben yn nwylo Esyllt. Byddai'r injan dân wedi cyrraedd gwaelod y bryn erbyn hyn.

Swniai seiren yr injan dân fel pe bai'n gweiddi 'Tair ar DDEEG – ar DDEEG – ar DDEEG – ar DDEEG'. Roedd Esyllt wedi meddwl cymaint am sut deimlad fyddai bod yn dair ar ddeg nes bod y gair yn mynnu gwthio i flaen ei hymennydd, hyd yn oed yng nghanol cyflafan fel hyn.

'Bydd angen iddyn nhw gysylltu â'r brif biben ddŵr,' gwaeddodd Dafydd. 'Ble mae e? Fe ddangosa i iddyn nhw.'

'Dydyn ni ddim wedi ein cysylltu â'r brif biben ddŵr!' gwaeddodd Esyllt yn ôl. 'Tanciau dŵr mawr sydd gyda ni. Ond maen nhw'n gwybod am fan hyn. Mae Dad yn wirfoddolwr gyda'r frigâd. Byddan nhw'n dod â thancer gyda nhw beth bynnag.'

Yna (ai dim ond eiliad yn ddiweddarach?), roedd rhagor o sŵn yn y byd, wrth i'r injan dân wylofus ruthro i fyny'r dreif ac ar y lawnt. Dechreuodd dynion mewn esgidiau trwm a helmedau redeg i gyfeiriad y tŷ.

Ac yn sydyn, nid ei chyfrifoldeb hi oedd hyn mwyach.

Roedd Esyllt yn rhydd i roi'r biben ddŵr yn nwylo un o'r ffigyrau tywyll yn yr helmedau... Mr Bowen o'r siop ger y groesffordd.

'Paid â becso, Esyllt,' gwaeddodd. 'Ni wedi cyrraedd cyn bod y tân ar led.'

Roedd Esyllt yn gwybod yn iawn beth roedd e wedi'i weiddi arni, ond wrth i'r geiriau gyrraedd ei chlustiau, cawsant eu hystumio, a'r hyn glywodd hi oedd, 'Ti wedi cyrraedd tair ar ddeg!'

'Na, ddim tan hanner nos,' gwaeddodd hi 'nôl, gan redeg i gyfeiriad y tŷ chwarae, a Dafydd yn rhedeg wrth ei hochr. Wrth iddi gyrraedd y tŷ chwarae a'r efeilliaid dagreuol, cydiodd llaw yn ei hysgwydd. Mam!

'Beth sydd wedi digwydd?' gwaeddodd ei mam arni.

'Mam! Fe wnes i bopeth yn iawn,' gwaeddodd arni. 'Mam! Yr efeilliaid. Maen nhw'n iawn! Yn iawn!'

Er bod llais ei mam yn llawn ofn, ni theimlodd Esyllt mor falch o weld neb – hyd yn oed y frigâd dân – yn ei bywyd. Rhedodd i'w breichiau.

Ddeuddeng awr yn ddiweddarach, deffrodd Esyllt, a'i ffroenau'n llawn o arogl llosgi tamp cyn iddi agor ei llygaid yn iawn. Heddiw oedd... heddiw oedd... yn sydyn taniodd ei chof. Roedd hi – wir, o'r diwedd, wedi cyrraedd tair ar ddeg.

Gorweddai ei gŵn gwisgo wrth droed y gwely ac wrth iddi ei roi amdani clywodd y cloc yn y cyntedd yn taro un... dau... tri. Dychmygodd Esyllt y byddai'n taro tair ar ddeg i ddathlu ei diwrnod mawr, ond stopiodd ar ôl naw. Rhedodd allan i ddiwrnod newydd ar draws carped gwlyb, a'r arogl llosgi yn dod ati o bob cyfeiriad.

Gallai weld trawstiau fel ysgerbwd drwy ffrâm ddu drws y gegin. Roedd bwrdd y cyntedd, y ffôn a'r cloc mawr yn dal yn eu lle, ond o'u cwmpas roedd olion traed mawr, baw o'r ardd a marciau rhyfedd troellog, mwdlyd. Yna daeth Esyllt allan drwy'r drws ffrynt oedd ar agor led y pen... ac yno'n eistedd wrth y bwrdd tu allan roedd ei mam a'i thad a Siwan, yn cael brecwast picnic. Roedd yr efeilliaid gerllaw hefyd, yn chwarae yn y tŷ chwarae oedd mor atgas ganddyn nhw y noson cynt.

'Helô!' meddai, braidd yn swil. Trodd wynebau tuag ati ac yna torrodd ton o leisiau hapus, balch drosti. 'Pen-blwydd hapus!'

Llamodd ei mam a Siwan ar eu traed, gan redeg i'w chofleidio.

'O, 'nghariad i, roedden ni'n lwcus! Mor lwcus!' llefodd ei mam. 'Mor lwcus i dy gael di!'

Roedd hi'n chwerthin ac yn crio ychydig, i gyd ar yr un pryd.

'Go dda, chwaer,' meddai Siwan, gan roi cwtsh mawr iddi eto.

Daeth ei thad yn araf tuag ati, ei fraich wedi'i rhwymo ar draws ei frest.

'Fy mai i oedd y cyfan,' meddai.

'Doedd dim bai ar neb,' meddai ei mam. 'Fel'na mae hi.'

'Pan syrthiodd Dad ar y stepen rydd yna, fe gwympodd yr hen ludw o'r tân ar y gweiriach o dan y feranda. Mae'n rhaid bod yna farwydos yn dal yn y lludw... ac fe danion nhw'r gwellt o dan y gegin a...'

'Fe fydda i fel arfer yn edrych arnyn nhw'n ofalus cyn eu taflu...' meddai ei thad.

'Ond hei, ffordd grêt o droi'n dair ar ddeg,' meddai Siwan.

'A dweud y gwir, ro'n i'n dal yn ddeuddeg pan ddigwyddodd y cyfan,' meddai Esyllt. 'Mae'n rhyfedd, on'd yw e? Meddwl y byddai bywyd yn troi'n antur unwaith y byddwn yn troi'n dair ar ddeg, ac yna fe ddigwyddodd yr holl gyffro yna pan o'n i'n dal yn ddeuddeg. Deuddeg yn ffarwelio.'

'Wel, mae dy deisen ben-blwydd di wedi llosgi'n ulw,' meddai ei mam. 'A chawn ni ddim byd o'r ffwrn na'r oergell, wrth gwrs.'

'Does dim ots gyda fi am beidio â chael parti,' meddai Esyllt. 'Fe gaf i barti dwbl pan fydda i'n ddeunaw ac yn cael pleidleisio.'

Ond y prynhawn hwnnw, digwyddodd rhywbeth annisgwyl. Dechreuodd un car, ac yna un arall ac un arall, gyrraedd o flaen y tŷ, a daeth ffrindiau a chymdogion draw, eu dwylo'n llawn o blatiau a phowlenni'n cynnwys brechdanau, teisennau, selsig bach, creision, losin a chnau. Ac anrhegion! Llyfrau, addurniadau gwallt, CDau gan fandiau cŵl.

'O diolch yn fawr!' meddai Mam, drosodd a throsodd. 'Mae pawb mor garedig. Doedd dim angen gwneud hyn i gyd, ond mae cymaint i'w ddathlu.'

'O-ho!' sibrydodd Siwan, gan wyro i gyfeiriad Esyllt. 'Edrych pwy sydd newydd gyrraedd.'

Yno, yn cerdded i fyny o'r glwyd ac yn croesi'r lawnt greithiog, roedd Dafydd Francis ei hun, yn dal anrheg wedi'i lapio o dan ei fraich.

'Mae e wedi dod i dy weld di, 'sbo,' meddai Esyllt, er nad oedd hi wir yn meddwl hynny.

'O na! Fe ddywedodd e wrtha i ei fod e'n meddwl dy fod ti'n grêt,' meddai Siwan. 'Mae e'n dod i fwrw'i olwg drosot ti eto, dw i'n gallu dweud. Fe gest ti un antur fawr pan oeddet ti'n dal yn ddeuddeg, ond dyma un arall yn dod... a'r tro hwn rwyt ti'n dair ar ddeg. Tair ar ddeg! Gwna'r gorau ohono. Dim ond am flwyddyn y bydd e'n para.'

Edrychodd Esyllt i gyfeiriad Dafydd, a lledodd gwên fawr ar draws ei hwyneb.

12

Ti'n Ddyn Nawr, Boi

gan Bali Rai

Addasiad gan Bethan Mair

Ti'n Ddyn Nawr, Boi

Cafodd fy ffrind gorau, Wil, ei barti pen-blwydd e'n dair ar ddeg yn neuadd yr eglwys leol, gyferbyn â'r mosg. Roedd yna ddisgo symudol, wedi'i ddarparu gan ei 'wncwl' Jac, ac aeth llwyth o'n ffrindiau ni o'r ysgol yno, *merched* hefyd. Fe feddwodd mam Wil, Sara, a dawnsiodd hi gyda phawb, gan ddiweddu'r noson yn y gornel yn cusanu'r 'wncwl'. Ac fe wnaeth ei fam-gu baratoi brechdanau yn llawn o bethau blasus. Fe wnes i fwyta'r holl rai cig eidion a *horseradish* y gallwn roi fy nwylo arnyn nhw ac yna stwffiais fy hunan yn fwy gyda rholiau selsig a pitsas bach. Do'n i erioed wedi cael cig eidion a *horseradish* o'r blaen – fydda i byth yn bwyta pethau fel'na gartre – ac fe dalais i'r pris hefyd. Treuliais y rhan fwyaf o'r diwrnod canlynol ar y tŷ bach. Fe gafodd Wil lawer iawn o anrhegion cŵl ond, yn y bôn, esgus oedd y parti ar gyfer yfed y pwnsh 'rhyfedd' roedd ei chwaer fawr, Jenna, wedi'i baratoi, ac i ymddwyn fel oedolion. Fe wnaeth Wil hyd yn oed lwyddo i fynd bant gyda Olivia, un o'n ffrindiau ysgol ni, ac roedd y cyfan yn hollol cŵl. Roeddwn i mor eiddigeddus.

Mae fy nheulu i, chi'n gweld, ychydig bach yn hen-ffasiwn. Wel, iawn, mwy nag ychydig. Maen nhw o dras Pwnjabi, ac maen nhw wir yn falch o hynny. Mae fy nhad wastad yn pregethu am ddiwylliant a balchder a stwff fel'na. Dyw ei syniad e o barti pen-blwydd ddim yn cynnws rhyw 'wncwl' Jac a'i ddisgo symudol. Dw i erioed wedi mynd i'r ysgol â llond dwrn o wahoddiadau arbennig i bawb, a ches i erioed barti lle gofynnais i'r merched ddod. Na'r bechgyn chwaith, a dweud y gwir...

Ar y cyfan, mae pob parti ges i wedi golygu cael yr holl deulu at ei gilydd i fwyta cyw iâr tandwri fel haid o lewod yn bwyta ewig, ond heb gymaint o steil. Mae wastad yr un peth, y menywod mewn un ystafell, yn gwrando ar gasetiau *bhangra* ac yn yfed sudd ffrwythau trofannol, a'r dynion mewn ystafell arall, gyda'u lagers a'u whisgi a phentyrrau o fwyd. Wncwls yn cydio ynof wrth fy nghlust ac yn dweud mod i'n 'fachgen da' a modrybedd tew yn fy nghwtsho nes mod i bron â mogi ym mhlygiadau'u dillad Pwnjabi traddodiadol. Mae pawb wastad yn gwneud sioe fawr o dorri'r deisen ben-blwydd, ac yna daw pawb yn ei dro i sefyll wrth fy ochr, gyda pha bynnag anrheg lipa maen nhw wedi'i rhoi i mi, i gael tynnu eu llun. Mae gan fy mam bentwr mawr o luniau ffiaidd ohonof, yn gwisgo crys a thei, yn edrych yn hollol ddiflas wrth i ryw ewythr a modryb ddangos y siwmper batrymog brynon nhw i mi pan oedden nhw yn India ddiwethaf.

Ac unwaith y daw'r tynnu lluniau i ben, rwy'n cael dawnsio i hen gerddoriaeth *bhangra* uffernol o ugain mlynedd yn ôl, wrth i gefndryd a modrybedd a hen ewythrod fy nhynnu i bob cyfeiriad. Pa mor cŵl yw hynny? Chi'n iawn, ddim yn cŵl o gwbl. Ac wedyn mae'r dynion i gyd yn mynd i'r dafarn ac rwy'n cael fy ngadael gyda'r holl blant – llawer ohonyn nhw'n edrych yn sâl am eu bod wedi llowcio deg darn o deisen ben-blwydd a'u golchi i lawr eu cyrn gyddfau gyda'r cola yna o Asda y mae Dad yn mynnu ei brynu wrth y galwyn. ''Run blydi peth, on'd yw e?' bydd e'n gweiddi'n aml pan fyddwn ni mas yn siopa, a minnau'n gofyn iddo fe brynu Coke go iawn.

Felly dw i erioed wedi gofyn i Wil ddod i un o 'mhartïon i, oherwydd yr elfen 'marw o mega-cywilydd yn ysgol fore Llun'. Allwch chi feddwl beth fyddai'r merched rwy'n eu nabod yn ei ddweud? Ar ôl fy mhen-blwydd yn ddeuddeg, gofynnodd Olivia i mi beth o'n i wedi'i wneud. Fe wnes i godi fy ysgwyddau a rhaffu stori am fynd i weld fy hoff gefnder yn Llundain, a mynd ar yr olwyn fawr yna cyn mynd o gwmpas y siopau ac ati. Roeddwn i'n meddwl mod i wedi creu rhywfaint o argraff arni, o'r olwg ar ei hwyneb, ond allai hi byth fod wedi bod mor *impressed* â hynny oherwydd fe wnaeth hi snogio Wil yn ei barti pen-blwydd e'n dair ar ddeg, er bod gan Wil a fi gytundeb mai fi fyddai'n ei chael fel wejen gyntaf. Dw i ddim yn deall merched, ond dw i ddim yn deall fy ngêm X-Box ddiweddara chwaith – ac mae honno'n cynnwys cyfarwyddiadau.

Ychydig o wythnosau'n ôl, cefais fy mhen-blwydd yn dair ar ddeg ar ddydd Sadwrn. Wythnos cyn hynny, dywedais wrth fy rhieni mod i ddim eisiau parti teuluol arall. Fe ddywedais wrthyn nhw nad o'n i'n blentyn mwyach, ro'n i'n *teenager* nawr. I ddechrau, roedd fy nhad, sy'n edrych fel fersiwn Indiaidd o Homer Simpson, yn edrych yn bryderus. Ond yna fe wnaeth fy mrodyr hŷn, Jit a Satam, achub fy ngham a dweud mod i'n ddyn nawr.

'Fe awn ni â ti lawr i'r dafarn, ontyfe, Jag – a nôl diod go iawn i ti,' meddai Satnam.

Do'n i ddim am iddo fe feddwl mod i'n fabi, felly nodiais fy mhen a dweud y byddai'r dafarn yn grêt. Ond nid dyna o'n i eisiau ei ddweud. Ro'n i eisiau dweud mod i'n gobeithio cael parti mwy aeddfed, fel parti Wil, mewn neuadd eglwys leol, gyda phawb o'm ffrindiau ysgol yn cael eu gwahodd, ond gwyddwn na fyddai hynny byth yn digwydd. Roedd e bron yr un mor debygol â gweld fy nhad yn bwyta brechdanau cig eidion a *horseradish*. Do'n i ddim yn meddwl bod y dafarn, er ei fod e'n lle i oedolion, yn llawer o hwyl – nid mod i'n gwybod, a minnau erioed wedi bod mewn tafarn. Ro'n i'n meddwl y byddai prynhawn yn y sinema ac efallai ymweliad â Pizza Hut yn bosib. Fel y gwnaeth rhieni Simran Sangha adael iddi hi ei wneud. Wedi'r cyfan, maen nhw o dras Pwnjabi hefyd, felly rhaid bod hynny'n iawn. Ond na – nid i Dad.

'Dim tafarn – rhy ifanc. A ti bwyta blydi pitsa yn tŷ, boi. Pam ti ddim jest rhoi matsien i arian? Ti gweld DiBiDi yn y teli gartre, so pam ti eisiau mynd i simena?'

'Ond Dad...'

'Digon, Jagtar – ni cael parti neis yn tŷ – dim ond teulu.'

A dyna'i diwedd hi, wrth i mi bwdu yn fy sedd a gweld pishyn o actores Bollywood yn dawnsio ar sgrin y teledu, a llygaid fy mam yn dilyn pob symudiad o'i heiddo.

Treuliais y rhan fwyaf o bnawn fy mhen-blwydd yn y parc, yn gwylio fy mrodyr yn chwarae pêl-droed i dîm lleol. Roedd fy nhad wedi cyfaddawdu tipyn bach ynghylch y parti teuluol ac yn lle hynny, roedd Mam wedi coginio llwyth o fwyd ar gyfer y noson honno – cyw iâr, cig oen, samosas, pakora pysgod, y math yna o beth. Roedd hi'n mynd i fod yn noson dawel, dim ond y teulu agos, ac efallai un neu ddau o'r ewythrod a'u teuluoedd. Nid yr hyn yr o'n i ei eisiau, ond doedd e ddim yn mynd i fod yn artaith chwaith.

Roedd y gêm bêl-droed y iawn, ac enillodd tîm fy mrodyr, Guru Gobind Khalsa FC, o dair gôl i ddim. Dim ond pum ffeit oedd ar y cae a dwy oddi arno. Mae fy mrodyr wedi bod yn ceisio fy mherswadio i chwarae i'r tîm ieuenctid, ond rwy'n mynd i aros gyda thîm yr ysgol, lle mae pethau'n debycach i'r gêmau welwch chi ar y teledu – yn fwy diogel.

Ar ôl y gêm, fe wnaeth fy mrodyr sefyllian o gwmpas gyda'u tîm yn yfed allan o ganiau Coke ac yn rhegi ar y tîm arall mewn Pwnjabi. Yna newidiodd pob un chwaraewr a gwisgo rhyw fersiwn o grys Manchester United, a chychwyn eu ffordd ar draws y parc, dros y ffordd ac i'r dafarn. Oedodd Jit a Satnam gyda dau o'n cefndryd, Guvvy a Tej, i sgwrsio am bêl-droed.

'Ni'n mynd i chwalu Aston Villa, boi,' meddai Tej, gan siarad am y gêm Man U oedd ar ganol yr ail hanner.

'Hawdd – man a man iddyn nhw roi'r pwyntiau'n syth i ni, ontyfe?' atebodd fy mrawd, Jit, cyn yfed yn ddwfn o'r can Coke.

'Dw i'n meddwl y bydd Giggsy'n sgorio gyntaf,' meddai Satnam.

'Rooney, fwy na thebyg... mae e ar dân,' meddai Guvvy'n frwd, gan glicio'i fysedd i greu effaith.

'Be amdanat ti 'te, *birthday boy* – pa dîm mae dy griw anobeithiol di'n ei chwarae heddiw?' gofynnodd Satnam.

Cymerodd eiliad neu ddwy i mi sylweddoli fod fy mrawd yn siarad â mi. Edrychais i fyny a chodi fy ysgwyddau. 'Middlesbrough, dwi'n meddwl,' atebais.

Ro'n i'n gwybod mai Middlesbrough oedd ein gwrthwynebwyr, ond ro'n i'n cadw'n dawel am fy nhîm i am eu bod nhw'n gwneud mor wael.

'Blydi Lerpwl Shmerpwl – dylet ti gefnogi tîm go iawn, y ferch ag wyt ti!' chwarddodd Tej.

'Ond ro't ti'n arfer cefnogi Lerpwl,' meddwn.

'Wedi gweld y golau, boi – fel yn y ffilmiau Bollywood 'na, on'dife. Fe wnaeth Ganesh *baba-ji* dywynnu'i olau ar fy mywyd a dangos y ffordd i fi...' atebodd, wrth i mi geisio dyfalu am beth ddiawl roedd e'n sôn!

'Nawr 'te, beth 'yn ni'n mynd i neud am dy ben-blwydd di?' gofynnodd Satnam.

'Ni'n cael parti gartre, on'd 'yn ni?' dywedais.

'Ie, ond nes ymlaen mae 'na,' ychwanegodd Jit. 'Beth 'yn ni'n mynd i'w wneud nawr, ontyfe?'

Ceisiais ddyfalu am beth roedden nhw'n mwydro. Do'n i ddim eisiau gwneud dim byd gyda nhw mewn gwirionedd. Ro'n i wedi gobeithio mynd draw i dŷ Wil.

'Faint fydd dy oed di?' gofynnodd Guvvy.

'Tair ar ddeg,' dywedais wrtho.

'Wel, ti'n ddyn nawr 'te, boi,' chwarddodd Tej. 'Dim ond un peth sydd i'w wneud...'

'Mynd â ti i'r dafarn, fel y gwnaeth fy nhad â fi pan o'n i'r oedran yna,' cytunodd Guvvy.

Gwenodd fy mrodyr arnaf.

'Hen draddodiad Pwnjabi, Jag. Rhaid i ti *feddwi* fel dyn cyn y galli di *feddwl* fel dyn,' meddai Jit.

Edrychodd pawb arno fe'n rhyfedd, heblaw amdana i. Ro'n i'n becso gormod i edrych ar neb.

'A dweud y gwir, dw i ddim eisiau mynd i'r—' dechreuais ddweud.

''Sdim un brawd i fi'n cael jibo mas o fynd i'r dafarn,' meddai Satnam yn awdurdodol.

'Ond mae Dad yn yfed fan'na,' atebais yn gyflym, gan geisio dod mas ohoni.

''Smo fe'n mynd i fod 'na nawr, odyw e?' cysurodd Jit.

'Dewch 'mlaen 'te, ferched bach – am beth 'yn ni'n aros?' chwarddodd Tej, gan roi ei freichiau o 'nghwmpas yn gyfeillgar.

Cefais fy hun yn cael fy nghario gan fy nghefnder oedd yn fawr, yn dew ac yn ddrewllyd. Ro'n i'n cicio 'nghoesau ond roedd e'n dal yn sownd ynof i a wnaeth e mo 'ngollwng i nes i ni gyrraedd y ffordd fawr.

'Ond dw i dan oed,' protestiais.

'Mae sawl ffordd o gael Wil i'w wely, y *phoodah*,' chwarddodd Guvvy, gan regi arnaf mewn Pwnjabi.

'Ond…' dywedais, wrth i ni redeg ar draws y ffordd fawr o flaen ceir cyflym.

Dechreuais feddwl tybed oedd Wil erioed wedi bod mewn tafarn a phenderfynais fod hynny'n annhebygol iawn. Ac yna, yn sydyn, roedd mynd i'r dafarn yn syniad da. Meddyliais sut y byddwn yn gallu dweud wrth fy ffrindiau am y peth ddydd Llun. Ymddwyn fel oedolyn a phopeth. *Ie, o'n i, ti'n gwbod, lawr y dafarn 'da mrodyr.* Bydd hynny'n creu argraff ar Olivia, meddyliais, wrth i ni gerdded i gefn y dafarn ac allan i'r ardd gwrw. Roedd gweddill y pêl-droedwyr yno, yn tindroi, yn dal eu diodydd, ac roedd llawer o bobl eraill yno hefyd. Dechreuais deimlo braidd yn annifyr, gan ofni bod pawb yn edrych arna i oherwydd mod i dan oed. Arweiniodd Satnam ni i ben pella'r ardd, ger clwyd bren oedd yn arwain at lôn fach yn y cefn ac, wrth i ni nesu at fwrdd picnic pren, cododd y ddwy ferch oedd yn eistedd yno, i adael.

'Peidiwch â mynd o'n rhan ni, ferched,' meddai Jit yn gawslyd, fel pe bai e'n gyflwynydd teledu slic neu rywbeth.

Edrychodd y merched arno ac yna ar ei gilydd, gan grychu eu hwynebau i ddangos ei fod yn codi cyfog arnyn nhw, cyn gadael.

'Beth 'ych chi'n yfed 'te, bois?' gofynnodd Guvvy, gan estyn am ei waled.

Bron ar unwaith, dechreuodd gweddill y criw ddweud y bydden nhw'n nôl y diodydd. Roedd hyn yn rhyw fath o ddefod y byddai fy nheulu'n mynd drwyddi bob tro roedd arian dan sylw. Weithau byddai rhyw fodryb yn rhoi deg punt i mi ar fy mhen-blwydd a byddai fy mam yn ei wrthod, a bydden nhw'n ei estyn yn ôl ac ymlaen am ryw bum munud cyn y byddai'n iawn i mi ei gadw wedi'r cyfan. Neu byddai Dad am brynu bwyd ar drip teuluol i rywle fel Alton Towers, ond byddai un o'r ewythrod yn dweud na, mai fe fyddai'n nôl y bwyd, ac yna byddai un arall yn dweud yr un peth ac yna un arall. Yn y pen draw, fy nhad fyddai'n nôl y bwyd beth bynnag. Digwyddodd yr un peth yn y dafarn.

'Na, na, fe a' i i nôl y diodydd,' atebodd Guvvy ar ôl trafodaeth bum munud.

'Wel, gaf i Pils 'te,' meddai Satnam.

'Bacardi a Coke,' meddai Jit a Tej fel deuawd.

'Beth amdanat ti, brawd?' gofynnodd Guuvy, gan syllu arna i.

'Coke,' atebais.

'Gwell rhoi tamaid bach o Bacardi ynddo fe hefyd,' meddai Satnam.

'Na – mae'n iawn,' dywedais.

Am ryw reswm, roedd fy mola'n teimlo fel pe bai'n llawn o ieir bach yr haf. Ro'n i'n nerfus iawn.

'Bacardi i'r *birthday boy*,' meddai Jit.

Trodd Guvvy am y bar.

'Ond un bach, cofia,' mynnodd Satnam.

'Dim problem,' atebodd Guvvy gan wenu.

Fe eisteddon ni a siarad rwtsh nes i Guvvy ddod 'nôl â'r diodydd. Rhoddodd fy un i o 'mlaen wrth iddo eistedd, a gwenu arnaf, ond wnes i mo'i chodi. Eisteddais yno am ychydig, gan syllu ar y ddiod, wrth i'r ieir bach yr haf hedfan yn gynt yn fy mola.

'Am be ti'n aros 'te? Yfa dy ddiod, frawd bach,' mynnodd Jit, gan wincio arnaf wrth siarad.

'Mewn munud,' atebais.

Edrychais o 'nghwmpas ar y cwsmeriaid eraill ond doedd neb fel pe baen nhw'n poeni mod i yno. Codais fy niod a'i harogli.

'Beth – ci wyt ti, neu rywbeth?' chwarddodd Satnam. 'Yfa fe, ddyn – 'sdim byd iddo fe.'

'Ond dw i erioed wedi cael diod feddwol o'r blaen,' protestiais.

''Smo fe'n mynd i dy frifo di, ddyn,' chwarddodd Tej.

'*Tair ar ddeg* heddi. Well i ti ymddwyn fel dyn,' ychwanegodd Jit.

Edrychais ar y ddiod eto, ac yna codi'r gwydr at fy ngwefusau, gan gymryd y diferyn lleiaf ohono. Roedd e'n blasu fel Coke, ond bod 'na ryw gwt iddo fe – roedd e'n chwerw.

'Ych a fi!'

'Cau dy geg ac yfa fe,' meddai Satnam gan ysgwyd ei ben.

Codais ddau fys arno ac edrych o gwmpas unwaith eto. Ar ôl gwneud yn siŵr nad oedd neb yn edrych arnaf, yfais ychydig yn rhagor a thynnu pob math o stumiau oherwydd y blas. Yfais ragor eto a sylweddoli bod y blas chwerw cyntaf yna wedi diflannu. Roedd y ddiod yn blasu'n felys nawr, yn siwgwraidd fel Coke fflat, er ei bod yn llosgi fy llwnc. Rhoddais y gwydr yn ôl ar y bwrdd ac edrych o gwmpas am y trydydd tro. Doedd neb yn fy ngwylio. Draw ger y fynedfa i'r ardd, gwelais ddau fachgen o'r ysgol, o Flwyddyn Deg, gyda'u criw pêl-droed. Roedd gan un wydraid o rywbeth a edrychai fel lemonêd yn ei law, ac roedd gan y llall botel o sudd oren. Ro'n i'n meddwl faint o argraff fyddwn i'n ei greu ar Olivia tasai hi'n gallu fy ngweld i'n ymddwyn fel oedolyn fan hyn. Codais fy niod ac yfed rhagor.

Erbyn i mi ymlacio ychydig, roedd y gwydr yn hanner gwag. Do'n i ddim yn teimlo'n wahanol, ddim fel yr hyn ro'n i wedi'i ddisgwyl. Do'n i ddim yn teimlo dim byd, a dweud y gwir. Dim ond ychydig yn gynnes ar y tu mewn, wrth i'r haul ddisgleirio ar yr ardd gwrw ac i leisiau fy nheulu olchi drosof – pawb yn siarad am ferched a phêl-droed a phethau. Roedd y bechgyn o'r ysgol wedi dod yn nes atom a daliais eu sylw. Amneidiodd y ddau eu pennau arnaf, ac edrych ar ei gilydd. Codais a cherdded draw atyn nhw, ac roedd fy mhen yn teimlo ychydig yn ysgafn. Cydiais yn fy niod.

'Hoi, boi,' dywedais yn uchel wrth i mi agosáu atyn nhw.

'Gan bwyll, Jag,' atebodd Parmy, y talaf o'r ddau.

'Beth wyt ti'n ei wneud fan hyn?' gofynnodd yr un byrraf.

'Cael diod gyda fy mrodyr, Gari,' atebais yn falch, gan geisio ymddwyn mor cŵl ag y gallwn.

'Beth yw hwnna, Coke?' gofynnodd Parmy.

'Na, boi – mae'n ben-blwydd arna i, felly dw i'n cael diod go iawn.'

'Cer o 'ma!' atebodd Gari. 'Ti'n meddwl y bydden nhw'n gadael i ti gael diod *go iawn*! Dim ond ym Mlwyddyn Wyth neu rywbeth wyt ti.'

'*Wir*,' dywedais, yn teimlo'n ddewr iawn yn sydyn.' Cymerwch flas os nad 'ych chi'n 'y nghredu i.'

Cynigiais y gwydryn i Gari a chymerodd ddiferyn ohono.

'Yffach! Bacardi yw hwnna, yn bendant, Parm – 'smo'r crwt yn gweud celwydd.'

Rhoddodd Gari'r gwydryn i Parmy, a chymerodd yntau ddiferyn hefyd.

'Mae'n blasu 'bach yn gryf,' meddai Parmy.

Fe safodd y tri ohonom a sgwrsio wrth i 'mhen i deimlo'n ysgafnach. Ro'n i'n hollol cŵl bellach, yn teimlo fel oedolyn, yn ymlacio gyda dau fachgen hŷn o'r ysgol. Efallai y bydden nhw'n siarad gyda mi yn yr ysgol o hyn ymlaen, meddyliais. Efallai y gallwn fod yn ffrindiau gyda nhw, hyd yn oed. Byddai'n llawer gwell na siarad am gêmau cyfrifiadur gyda gîcs yr un oed â mi. Ro'n i bron â dweud ar goedd yr hyn yr oeddwn yn ei feddwl pan ddaeth fy mrawd, Jit, heibio.

'Be ti'n moyn, frawd bach?' gofynnodd.

Codais f'ysgwyddau fel pe na bai'n gwneud fawr o wahaniaeth i mi. 'Un arall, boi,' atebais.

'Ho-ho! Drwg!' chwarddodd Gari. 'Ond gwell i ti fod yn ofalus neu bydd y Bacardi 'na'n rhoi cosfa i dy ben di!'

''Smo fe'n ddim byd,' dywedais, fel pe bawn i'n rhyw yfwr mawr.

Gwenodd Gari a Parmy ar ei gilydd. Roedden nhw'n crechwenu. Do'n i ddim yn meddwl mod i wedi gweiddi, ond rhoddodd Parmy bwniad i mi â'i benelin a gwenu rhagor. ''Bach llai o sŵn, boio – fe glywodd pawb yn y dafarn!'

''Mots 'da fi,' dywedais, gan droi i fynd yn ôl i fy sedd.

'Cer yn ofalus!' chwarddodd Gari wrth i mi ymlwybro drwy'r dorf.

TAIR AR DDEG

Ro'n i'n teimlo'n fwy penysgafn o lawer erbyn hynny, ac ro'n i'n siŵr i mi ddamsang ar ambell i droed wrth fynd heibio. Erbyn i mi gyrraedd y fainc lle roedd fy nheulu, roedd yn rhaid i mi eistedd. Roedd fy ngheg yn sych ofnadwy ac roedd gen i deimlad rhyfedd yn fy mola, fel pe bai'n rhewi o'r tu mewn. Gofynnodd Satnam a oeddwn i'n iawn ac, am eiliad, syllais arno,

'Cŵl,' atebais o'r diwedd gan edrych i'r cyfeiriad arall.

Pan ddaeth Jit yn ei ôl gyda diod arall i mi, tua chwarter awr yn ddiweddarach, eisteddais a syllu ar y gwydryn am yr hyn oedd yn ymddangos i mi fel oesoedd. Gallwn deimlo perlau o chwys yn ffurfio lle roedd fy nhalcen a 'ngwallt yn cwrdd, ac roedd y teimlad bola rhew yn datblygu'n awydd mawr i dorri gwynt. Llyncais ddigon o awyr iach, ac yna ragor o awyr iach, gan geisio cadw wyneb syth fel na fyddai fy mrodyr yn meddwl bod rhywbeth yn bod arna i. Ond roedd rhywbeth yn bod arna i.

Roedd fy mhen yn troi ac ro'n i'n ei chael hi'n anodd ofnadwy i gadw fy llygaid ar agor. Gallwn glywed fy mrodyr yn siarad ond doedd f'ymennydd ddim yn gallu troi'r sŵn yn eiriau synhwyrol. O 'nghwmpas ym mhob-man, roedd pobl yn cymdeithasu a dechreuais deimlo fel pe bai pawb yn siarad amdanaf ac yn pwyntio i 'nghyfeiriad.

Edrychais ar fy niod, ac ro'n i bron â marw eisiau torri gwynt, fel y gallai'r gwynt oedd yn sownd yn fy mola gael rhywle i ddianc. Codais fy ngwydryn ac yfed diferyn ohono. Daeth teimlad drosof fel ton, teimlad o fod eisiau chwydu, a bu'n rhaid i mi lyncu'n galed er mwyn peidio â chwydu yn y fan a'r lle. Edrychais ar fy mrodyr, y ddau'n chwerthin ac yn tynnu coes, y naill na'r llall yn talu dim sylw i mi. Torrodd ton arall o fod eisiau chwydu drosof, ac ro'n i'n teimlo fy mola'n troi fel peiriant golchi. Rhoddais y ddiod i lawr a sefyll ar fy nhraed yn sydyn.

'Myn' tŷ bach,' mwmialais, heb aros am ateb gan fy mrodyr.

Ymlwybrais drwy'r dorf, gan geisio peidio â dal llygad neb rhag ofn iddyn nhw sylweddoli mod i wedi'i cholli hi. Roedd y toiledau ar bwys mynedfa'r ardd gwrw, wrth ddrws y bar, a gallwn eu gweld yn dod yn nes ac yn nes. Ond roedd y tonnau o salwch yn fy moddi erbyn hynny, a bu'n rhaid i mi roi fy llaw at fy ngheg ddwywaith wrth i mi ddod yn agos at daflu i fyny. Cerddais yn llechwraidd heibio i Gari a Parmy, oedd yn chwerthin am fy mhen, dw i'n siŵr, ac anelu'n gyflym at ddrws y tai bach. Dechreuodd fy mola wasgu'n dynn a throdd y chwys ar fy nhalcen yn rhew. Ychydig bach ymhellach, meddyliais.

Chyrhaeddais i ddim. Wrth i mi gyrraedd y drws, camodd rhywun allan ohono. Taflwyd fy mhen yn ôl ohono'i hun a hyrddiodd cynnwys fy stumog drwy'r awyr gan lanio ar y dyn o 'mlaen i. Teimlais fy hun yn syrthio'n swp i'r llawr. Wrth i mi edrych i fyny ar yr awyr las a'r cymylau gwynion gwlân cotwm, clywais lais cyfarwydd.

'*Jagtar?*'

Ac yna, fe bwysodd fy nhad drosof, ei ddillad yn llawn o chwd, a golwg ar ei wyneb fel pe bai am fy lladd. Ceisiais wenu, ond fe gaeodd fy llygaid ac ro'n i'n anymwybodol.

Fe ddaeth hi i'r amlwg bod fy nghefnder Guvvy wedi sbeicio'r ddiod gyntaf yna gyda gwirod cartref o fflasg roedd e'n ei chario yn ei boced. Enw'r ddiod feddwol mewn Pwnjabi yw *desi* ac mae'n gryf ofnadwy. Ar ôl i Dad fynd â mi gartref a newid ei ddillad, fe wnaeth ei dymer wella. Does gen i ddim syniad beth ddigwyddodd yn ystod y pum awr ro'n i'n anymwybodol, ond pan ddihunais i, yn boeth ac yn chwyslyd yn fy ngwely, roedd e'n sefyll gerllaw â gwên ar ei wyneb.

'Wyt ti wedi tyfu'n ddyn 'te?' gofynnodd yn hwyliog, mewn Pwnjabi.

Griddfanais wrth i boen saethu fel gwaywffon drwy fy mhen. Bu'n rhaid i mi agor a chau fy llygaid unwaith neu ddwy cyn ateb.

'Os mai dyna beth yw bod yn ddyn,' dywedais mewn llais crug fel broga, 'yna dw i ddim eisiau bod yn ddyn.'

Roedd fy nhad yn dal i chwerthin bum munud yn ddiweddarach.

13

Mamau Estron o'r Gofod a'r Plentyn Gwyllt, An-wyllt

gan Karen McCombie

Addasiad gan Bethan Mair

Mamau Estron o'r Gofod a'r Plentyn Gwyllt, An-wyllt

Pan welais fy nhad ar y teledu am y tro cyntaf, fe sgrechiais.

Ond dim ond tair oed oeddwn i, ac roedd e'n actio rhan madfall reibus enfawr o'r blaned Tharg.

'Fi yw e o hyd o dan y wisg a'r colur, Sioni cariad!' dywedodd Dad – ond bu'n rhaid iddo fe ddweud hynny dair gwaith cyn i mi dawelu.

Ond fe ddysgais wers bwysig bryd hynny – dyw pethau ddim wastad fel maen nhw'n edrych ar yr olwg gyntaf. Gall madfallod rheibus brawychus fod yn dadau hyfryd o dan yr wyneb. Gall mam wengar gyfeillgar-yr-olwg eich ffrind gorau fod yn greadur estron atgas o'r gofod mewn gwirionedd.

O, gall.

Mae Charlie wastad wedi bod ychydig yn rhyfedd ynghylch fy ngwahodd yn ôl i'w thŷ hi, a nawr mod i yma o'r diwedd rwy'n deall pam. Wedi'r cyfan, all hi ddim bod yn hawdd cael estrones atgas o'r gofod fel mam, na all?

Dim ond newydd ddod o hyd i'r ffaith hon ydw i, ers rhyw ddeng munud. A dweud y gwir, mae'n anodd gen i gredu mai prin chwarter awr yn ôl oedd hi pan oeddwn i'n cerdded adre'n hapus braf ar hyd y ffordd gyda Charlie, i gyfeiriad ei thŷ, gan rannu pecyn o Minstrels a sgwrsio am sut y gall colomennod fod mor dew er nad ydyn nhw'n bwyta dim ond cerrig mân oddi ar yr heol. A nawr... wel, nawr, mae fel pe bawn i wedi symud i fydysawd cyfochrog.

Sut y gallwn fod wedi bod mor esgeulus?

'Felly, Sioned, beth ydych chi'n galw *hwnna*?'

Rwy'n eistedd yng nghegin 'Lleifior', 19 Coedlan y Parc, sy'n *ymddangos* yn ddigon cyffredin siŵr o fod (mewn ffordd eitha crand), os ydych chi'n syllu arno o'r pafin. Gyferbyn â mi, ar draws y bwrdd sgleiniog perffaith, y mae mam honedig-gyffredin Charlie, sy'n pwyntio i gyfeiriad cyffredinol fy wyneb wrth siarad. Wrth geisio ateb ei chwestiwn, rwy'n cael fy nhemtio i ddweud, 'Wel, rwy'n ei alw'n drwyn, Mrs Thomas. Neu o leia, dyna mae pobl ar y Ddaear yn ei alw. Beth yw'r enw amdano ar eich planed chi?'

Wrth gwrs, dw i ddim yn dweud hynny, am fy mod yn greadur dynol (eitha) neis, (eitha) cwrtais, a hyd yn oed pan ddof wyneb yn wyneb â chreaduriaid estron atgas o'r gofod a'u sylwadau gwawdlyd, rwy'n cofio sut i ymddwyn yn dda. Felly, yn lle taflu rhyw frawddeg yr un mor wawdlyd yn ôl at fam Charlie, rwy'n agor a chau fy llygaid ac yn cyffwrdd â 'nhrwyn yn hunanymwybodol.

'Na, na!' Mae Mrs Thomas yn chwerthin am fy mhen, yn y ffordd unigryw honno sydd gan rai pobl pan maen nhw'n ceisio gadael i chi wybod eich bod yn dwpsyn llwyr. 'Eich llygaid, Sioned!'

Dyw hynny'n fawr o gymorth. Am beth mae hi'n sôn? Beth ydw i'n galw fy llygaid? Wn i ddim... Bob? Twm? Yn fy nryswch, teimlaf wrid yn lledu dros fy wyneb, wrth i f'ymennydd, sydd wedi'i sgramblo, geisio dod o hyd i ateb i'r cwestiwn rhyfedd hwn. Cefais yr un drafferth wrth geisio dod o hyd i'r ateb i: 'Ydi hi'n *anodd* i'ch mam fforddio gwisg ysgol go iawn?' (wrth iddi syllu ar dwll yn fy nghrys denim) neu: 'Porffor? Rhyfedd iawn!' (wrth iddi gael cip ar f'ewinedd, sydd wedi'u paentio a'u cnoi i'r byw). Mae mor ddryslyd pan fydd y geiriau'n swnio'n gas ond bod y geg y dôn nhw ohoni'n gwenu'n ddel...

Rwy'n ceisio amneidio ar Charlie am gymorth, yn y gobaith y gall hi ddehongli'r hyn mae ei mam estron atgas o'r gofod yn ceisio'i ddweud, ond mae'n ymddangos bod fy ffrind gorau'n cael pleser mawr o archwilio cynnwys ei hoergell. (Os bydd hi'n sefyll yno am lawer yn rhagor, bydd ei haeliau'n rhewi.)

'Y stwff yna o amgylch eich llygaid, dw i'n ei feddwl!' Mae Mrs Thomas yn chwerthin eto yn y ffordd ysgafn, ddieflig yna sydd ganddi. 'Ydi'ch mam yn fodlon i chi ei wisgo?'

O wrando ar dôn ei llais, byddai'n hawdd i rywun feddwl mod i wedi taenu gliter neu dar neu *jam* neu rywbeth ar hyd hanner uchaf fy wyneb, yn hytrach na rhoi ychydig bach o *eyeliner* o gwmpas fy llygaid.

Ond efallai fod gan Mrs Thomas reswm dros orymateb; efallai fod gwisgo *eyeliner* yn drosedd ddifrifol yma ar blaned Sponggg, neu pa le bynnag y glaniais i ynddo pan gamais dros riniog tŷ Charlie – neu rhyw fath o borth i fydysawd arall...

Gadewch i ni fynd am yn ôl am ychydig. Dyma sut mae fy myd i'n gweithio:

1) Mae'n dweud Sioned ar fy nhystysgrif geni ond mae pawb yn fy ngalw'n Sioni.
2) Rwy'n byw gyda fy mam mewn fflat cyngor braf ar stad ddigon teidi.
3) Mae fy rhieni wedi cael ysgariad 'cyfeillgar' (h.y. dydyn nhw ddim yn casáu ei gilydd).
4) Rwy'n siarad â Dad yn aml iawn, er na fydda i'n gweld rhyw lawer arno nawr gan fod ganddo swydd newydd yn y gogledd.
5) Yn yr ysgol, rwy'n gwneud yn ddigon da ym mhob un o'r pynciau, ac mae'r rhan fwyaf o'r athrawon yn fy hoffi (wel, dyw'r Dirprwy ddim yn *caru*'r ffordd rwy'n dehongli'r rheolau gwisg ysgol), ac rwy'n cyd-dynnu'n iawn â'r rhan fwyaf o bobl (er bod rhai o'r bechgyn wedi dechrau fy ngalw'n 'Morticia' ar gownt yr *eyeliner*).
6) Fy ffrind gorau (ers y pedwar mis diwethaf) yw Charlie Thomas.

Y peth yw, yn y bydysawd cyfochrog hwn, mae hynny i gyd yn dal yn wir, ond mewn ffordd ryfedd, wyrdroëdig – diolch i fam estron atgas o'r gofod Charlie.

Nid bod Mrs Thomas yn edrych fel un, o na. Ond mae estroniaid o'r gofod yn glyfar, on'd ydyn nhw? Maen nhw wedi eu gwisgo fel meidrolion fel nad oes neb yn colli arnyn nhw'u hunain pan welan nhw'r crafangau cimwch trawsffurfiol a'r llygaid ar ddau goesyn sigledig. Pan gyflwynodd Charlie fi i'w mam chwarter awr hir yn ôl, y cyfan welais i oedd menyw benfelen, lon yr olwg yn edrych i fyny o'i chylchgrawn tai ffansi. Yna, cyn gynted ag y cawsom ni'r cyfarchion cyntaf allan o'r ffordd – sawl 'helô' a 'balch-o'ch-cyfarfod-chi' – dechreuodd hi faglu ychydig. Roedd corneli'i cheg yn dal i droi ar i fyny, ond dechreuodd y cwestiynau a'r sylwadau a daflwyd i 'nghyfeiriad i frathu, fel pe bawn i'n borcyn yng nghanol danadl poethion. ('Rydych chi yn y ffrwd uchaf yn yr ysgol, yr un peth â Charlotte? *Dyna* syrpréis!').

Wrth iddi edrych i fyny ac i lawr fy nghorff, roedd ei hewinedd twt, oedd yn tip-tapian ar wyneb y bwrdd, bron â throi'n grafangau cimwch trawsffurfiol o flaen fy llygaid. A *dyna* pryd y gwawriodd arnaf mai estron atgas o'r gofod oedd mam Charlie, *heb os*. Yr unig eglurhad posib arall oedd ei bod hi'n wirioneddol ddieflig. Y naill ffordd neu'r llall, dechreuais deimlo'n sobor o flin dros Charlie...

'Mae mam Sioni'n dweud nad oes ots 'da hi bod Sioni'n arbrofi gyda dillad a cholur,' meddai Charlie'n sydyn, gan daro dau wydryn a bocs o sudd oren ar y bwrdd yn grac, nes bod ychydig o'r sudd yn tasgu allan. 'Mae hi'n dweud ei bod hi wedi gwneud yr un peth pan oedd hi yn ei harddegau.'

'Wel, mae'n rhyfedd gen i,' meddai Mrs Thomas gan estyn am ddarn o bapur cegin i sychu'r diferion, 'fod rhywun sydd wedi gwneud camgymeriadau yn y gorffennol yn gadael i rywun arall wneud yr un camgymeriadau ffôl drosodd a thro. Mae hynny'n ymddangos yn greulon ac anghyfrifol iawn i mi, wyt ti ddim yn meddwl?'

Mae mam Charlie'n cyfeirio'i geiriau at ei merch, ond mae mor amlwg â haul ar bost mai i 'nghyfeiriad bach 'ffôl' i a fy mam 'anghyfrifol' yr anelwyd y sylwadau crafog.

A dyna'r broblem: ym myd Mrs Thomas, drwy ei llygaid hi (y llygaid sydd ar ddau goesyn sigledig estron o'r gofod), rwy'n rhywun nad ydw i braidd yn ei adnabod. Iddi hi...

1) Fy enw yw Sioned, nid rhyw lysenw hurt bachgennaidd.
2) Rwy'n byw gyda fy mam sengl mewn fflat goman ar stad ddiflas sy'n llawn troseddu.
3) Mae fy rhieni wedi ysgaru (y sioc, yr arswyd, y cywilydd!).
4) Mae'n debyg nad ydw i byth yn gweld fy nhad da-i-ddim (os ydw i hyd yn oed yn gwybod pwy yw e).
5) Mae'r ffaith mod i'n gwisgo paent ewinedd lliw porffor ac *eyeliner* yn gyfystyr â mod i'n droseddwr ifanc sy'n treulio pob prynhawn yn yr ystafell gosb.
6) Rwy'n ddylanwad drwg ar 'Charlotte' a byddaf yn ei harwain ar gyfeiliorn.

*

'Ble mae'r tŷ bach?' gofynnaf, ar dân yn sydyn i ddianc rhag y croesholi a'r gwatwar am ychydig o funudau heddychlon. Ac wrth i mi esgus mod i'n pisho, gallaf geisio dyfalu sut yn union y gallaf ddianc o'r lle yma heb ymddangos yn rhy haerllug (er nad yw Mrs Thomas yn ceisio osgoi bod yn haerllug o gwbl).

'Mae'r tŷ bach o dy flaen, ar ben y grisiau,' meddai Charlie, ei hwyneb yn wyn ac yn fain, ei llygaid yn syllu i'm llygaid i ac yn fflachio 'sori, sori, sori!'.

Do'n i heb sylweddoli bod mam estron atgas o'r gofod Charlie wedi parlysu fy nghorff gyda rhyw belydr-meddwl arallfydol, ond cyn gynted ag y camais i'r cyntedd, roedd yn rhaid mod i y tu hwnt i gyrraedd ei phwerau seicig. Mae pob cyhyr tyn yn dechrau llacio. Erbyn i mi ruthro i ben y grisiau a chau drws y stafell ymolchi, rwy'n teimlo'r fath ryddhad nes mod i bron â llithro i'r llawr llechen oer.

'Waw…' mwmialaf, wrth weld y bath ar ei draed crafanc henffasiwn yn sefyll yng nghanol ystafell sy'n fwy na'n lolfa ni gartre. Byddai Mam wedi *dwlu* ar hwn – nid dim ond y stafell ymolchi maint stadiwm bêl-droed, ond y lle i gyd. Er ei bod hi wedi llwyddo i wneud ein fflat mor glyd, dyma'i chartref delfrydol, y math o dŷ na allai gweithwyr cymdeithasol sengl (h.y. Mam) nac actorion sydd gan amlaf yn ddi-waith (h.y. Dad) byth mo'i fforddio mewn miliwn o flynyddoedd o waith cymdeithasol a gwneud ambell droslais ar gyfer warws carpedi rhad.

Mae'n rhyfedd, bob tro y daw Charlie draw i'r fflat, mae hi wastad yn sôn am ba mor grêt yw'r lle. Dyw hi erioed wedi sôn ei bod hi wedi sylwi bod y carped yn un ail-law ac yn wirioneddol hyll, na bod y cwrlid dros y soffa'n cuddio patrwm blodeuog salw ofnadwy a'r ffaith bod y celficyn wedi'i grafu'n ddim gan gath rhyw berchennog oedd yn byw yma o'r blaen. Mae hi wedi bwyta'i the oddi ar lestri lliwgar sydd ddim yn rhan o set, ac wedi yfed o fygiau sy'n cyd-fynd *dim ond* am fod tolc ymhob un ohonynt. Mae hi wedi eistedd ar ein hunig stôl sigledig tra bod Mam yn plethu ei gwallt melyn. Mae hi wedi dysgu'r ffordd gywir i ddefnyddio dolen y tŷ bach er mwyn ei harbed rhag disgyn i ffwrdd. A'r holl amser, mae'n rhaid ei bod hi'n meddwl mor ych a fi oedd fy nhŷ i o'i gymharu â'i thŷ hi.

Neu efallai nad yw hi'n meddwl fel'na o gwbl, meddyliaf, gan godi ar fy nhraed ac agor y tap dŵr oer yn y basn. Alla i ddim dychmygu mam estron atgas o'r gofod Charlie yn plethu ei gwallt gyda'r crafangau cimwch trawsffurfiol yna…

Mae teimlad y dŵr oer ar fy wyneb yn oeri fy mhen yn ogystal â 'nghroen. A dyma sy'n llamu i'm meddwl yn syth, nawr bod pethau'n gliriach… yn yr ychydig fisoedd ers i ni fod yn ffrindiau gorau, dyw Charlie erioed wedi dweud dim byd cas am ei rhieni, ond mae hynny am nad yw hi braidd wedi sôn amdanynt o gwbl. Bob tro dw i wedi gofyn cwestiwn amdanyn nhw, mae hi wedi newid y pwnc. Felly, ffrindiau gorau neu beidio, yr unig beth a wyddwn i am ei bywyd hi gartref tan heddiw oedd a) ei bod hi'n byw gyda'i mam a'i thad, a b) ei bod hi'n byw yn un o'r strydoedd yna lle bydd y rhieni'n gyrru eu plant i'r ysgol mewn Range Rovers a Land Cruisers a cheir eraill sydd bron mor fawr â'r fflat.

Felly am wn i, yng nghefn fy meddwl, rwy wedi bod yn gofidio mai'r rheswm na chefais wahoddiad i'w thŷ oedd am ei bod hi'n byw lle mae hi'n byw a finnau'n dod o lle rwy'n dod. Ro'n i'n meddwl bod ganddi gywilydd ohona i. Nawr rwy'n dechrau amau bod ganddi gywilydd, oes – ond cywilydd o'i mam ei hun...

'Mae'n rhaid i ti fagu croen rhinoseros,' dywedaf wrth f'adlewyrchiad, wrth dynnu fy mys ar hyd fy amrannau i dacluso'r *eyeliner* du.

Y peth rhinoseros 'na: dyna ddywedodd Dad wrtha i rywbryd, pan oedd e'n sôn am yr holl gyfweliadau y buodd e drwyddyn nhw ar hyd y blynyddoedd. Ond ar gyfer beth yr ydw i'n cael fy nghyfweld? Bod yn ffrind i Charlie? Ro'n i'n meddwl mod i'n ffrind iddi'n barod, ym marn Charlie, o leia.

Ond mae'n amser i mi brofi'r croen rhinoseros yn erbyn y pelydrau-meddwl arallfydol – alla i ddim cuddio fan hyn eiliad yn rhagor, neu bydd Mrs Thomas yn dechrau amau mod i'n dwyn y fflos dannedd...

'Wel, alla i ddim gweld beth yw'r atyniad,' clywaf lais smyg, hunan-gyfiawn yn siarad, wrth i mi ddod allan o'r stafell ymolchi ac oedi – a'm gwynt yn fy nwrn – ar landin y llawr cyntaf.

'Gwranda Mam, mae Sioni jest yn neis iawn, OK?' clywaf ateb main Charlie.

Hmm... felly siarad amdana i maen nhw 'te.

Clywaf sŵn tebyg i rochian, sŵn sy'n awgrymu, 'O, ie, dw i fod i gredu hynny!' Mae un droed yn oedi uwchben y gris cynta ond does gen i mo'r galon i gamu ymlaen; anghofiwch rhinoseros, mae 'nghroen i'n teimlo'n debycach i groen cath fach newydd-anedig.

'Charlotte, y peth dw i'n ceisio'i ddweud yw nad ydw i eisiau dy weld ti'n treulio dy amser gyda rhyw... rhyw blentyn gwyllt! Dw i ddim yn deall pam na alli di dreulio mwy o amser gyda Rhiannedd Morris. Pan oedden ni draw yn nhŷ ei rhieni nos Sadwrn, fe ddywedon nhw nad ydyn nhw braidd byth yn dy weld di mwyach!'

Iesgob...! *Fi*, plentyn *gwyllt?!* Am y rheswm syml mod i'n gwisgo crys denim yn lle blowsen ysgol, a phaent ewinedd tywyll ges i am ddim ar glawr *Bliss*?! Ac mae'n flin gen i, ond os yw Mrs Thomas yn meddwl bod Rhiannedd Morris yn gwmpeini mwy addas i'w merch na fi, wel mae hynny fel dweud y byddai Charlie'n fwy diogel yn chwarae yng nghanol traffig ar yr hewl fawr am bump yr hwyr, yn lle eistedd o flaen *Blue Peter* yn y tŷ.

Oes ganddi syniad yn y byd sut un yw Rhiannedd Morris o gwbl? (Ateb: nac oes, yn amlwg.)

Mae 'mhen i'n troi, ac rwy'n sylweddoli mod i'n dal fy ngwynt o hyd. 'Cyfra i ddeg wrth i ti dynnu anadl, a deg i'w gollwng i gyd. Mae'n gwella *stage fright* bob tro,' rwy'n cofio Dad yn dweud pan ddaeth o hyd i mi'n goranadlu oherwydd rhyw brawf cemeg ro'n i'n poeni amdano.

Wrth i mi ddechrau cyfri, rwy'n dal yn sownd yng nghanllaw'r grisiau ac yn meddwl am Rhiannedd Morris. Rhiannedd 'fyddai menyn ddim yn toddi yn ei cheg' Morris, adnabyddus i athrawon fel merch glyfar o deulu parchus; adnabyddus i bawb yn ein blwyddyn ni fel bwli a thrwbwl gyda'r priflythrennau T, R, W, B, W ac L.

Oherwydd Rhiannedd Morris y des i'n ffrindiau gorau gyda Charlie neu, yn fwy penodol, pam y daeth Charlie'n ffrindiau gorau gyda fi. Oni bai mod i wedi cerdded i mewn i doiledau'r merched yn ystod y parti ysgol ar yr union eiliad ag y gwnes i, byddai Rhiannedd wedi gollwng ei ffrind honedig Charlie i ganol tomen fawr ddrewllyd o drwbwl. Gan mod i ond yn nabod y ddwy ychydig bach, nodiais helô wrth i mi ddod mas o'r tŷ bach, a gwelais bod Rhiannedd yn ysmygu a Charlie'n edrych fel pe bai wedi cael digon. Hanner eiliad yn ddiweddarach, wrth i mi olchi fy nwylo, gwelais ddau beth: yn y drych, Miss Rees, ein Dirprwy Bennaeth, yn cerdded i mewn; drwy gornel fy llygad, Rhiannedd Morris yn gwthio'r sigaret yn frysiog i ddwylo Charlie.

'Tafla fe!' sibrydais wrth Charlie ddryslyd uwchben rhuthr y dŵr oer, yr unig un yn y stafell oedd heb sylweddoli bod athrawes gerllaw.

Does gen i ddim syniad o hyd pam y penderfynodd Charlie dalu sylw i fi fach, ond fe wnaeth – ac fe wnaeth y weithred o daflu'r sigaret allan drwy ffenest agored y toiledau i'r gwair islaw beri iddi osgoi cael ei hatal o'r ysgol yn ogystal â gorffen un cyfeillgarwch (gyda Rhiannedd) a dechrau un newydd sbon (gyda fi).

'Does dim llawer yn gyffredin rhwng Rhiannedd a fi mwyach, iawn?' clywaf Charlie'n ateb.

'O, paid â bod yn hurt! Rho un rheswm da i mi pam nad wyt ti a hi'n ffrindiau y dyddiau hyn?'

O-ho – all Charlie ddim dweud y gwir am Rhiannedd, na all? Nid heb gyfadde'r holl drwbwl y bu bron iddi hi ei hun lanio ynddo, am y rheswm syml mai hi oedd ffrind gorau swyddogol Rhiannedd Morris…

Gan lyncu anadl ddofn i'm llonyddu, a chan weddïo y bydd fy nghroen yn caledu, dechreuaf fartsio i lawr y grisiau.

'A, dyna ti Sioned!' crechwenodd Mrs Thomas. 'Ro'n ni ar fin anfon y tîm achub i chwilio amdanat ti!'

Does dim ots gen i am y gwawdio nawr; rwy ond yn falch ei bod hi wedi anghofio am Rhiannedd Morris am ychydig. A gallwch fentro bod Charlie yr un mor falch hefyd.

'Dy sudd oren,' mwmiala Charlie, gan roi gwên diolch-yn-fawr gyfrinachol i mi.

'Wel, eisteddwch, Sioned – does dim pwynt gwneud i'r lle edrych yn anniben! Ha!'

Mae arna i ofn mod i'n sownd yma nes i mi orffen fy niod. Tybed sawl llwnc fydd ei angen i'w yfed i gyd?

'Felly...' dechreua Mrs Thomas, gan dip-tapian ei hewinedd ar y bwrdd eto. 'Dywedwch ragor am eich teulu, Sioned. Eich mam: ydi hi'n gweithio?'

Mae Charlie'n gwybod cystal â mi bod y cwestiwn yna, o'i gyfieithu o iaith estron atgas o'r gofod yn golygu, 'Ydi eich mam yn byw ar fudd-daliadau?'

'Swyddog diogelu plant gyda'r adran gwasanaethau cymdeithasol yw mam Sioni,' meddai Charlie, cyn i mi gael cyfle i agor fy ngheg.

'O!' meddai Mrs Thomas, y wên a'r olwg hunanfodlon yn toddi oddi ar ei hwyneb. 'A, y... beth am eich tad?'

'Mae e yng Nghaernarfon,' dywedaf wrthi, gan ddychmygu beth fydd ei meddwl pitw estron yn ei wneud o hynny. 'Mae e newydd gael rhan yn y ddrama heddlu newydd yna ar S4C.'

Mae'r olwg ar wyneb mam Charlie yr un mor syfrdan â phe bai Homer Simpson wedi pinsio'i phen-ôl. Dw i ddim yn siŵr beth yw ystyr hyn – mae fy ngrymoedd cyfieithu estron o'r gofod wedi fy ngadael.

Ond rwy'n deall mewn eiliad wrth iddi enwi'r rhaglen (y mae hi'n dwlu arni) ac yn dyfalu pwy yw fy nhad (mae hi'n dwlu arno fe hefyd). A nawr rwy'n gweld f'adlewyrchiad yn ei llygaid dynol ac yn sylweddoli nad yw hi'n gwgu ar blentyn gwyllt mwyach; mae'n syllu mewn rhyfeddod ar ferch rhywun sydd ar y teledu. Mor pathetig.

'Gwrandewch, rwy'n gwybod bod hyn swnio'n hurt, Sioned,' meddai Mrs Thomas yn sydyn gan chwerthin, wrth i Charlie sefyll y tu ôl iddi a'i hwyneb yn llawn ffieidd-dod, 'ond tybed allech chi gael llofnod eich tad i mi, allech chi?'

Mae Charlie nawr yn sefyll y tu ôl i gadair ei mam, gan gogio'i thagu. Rhaid i mi gymryd llwnc o'r sudd oren er mwyn cuddio'r wên fawr ar fy wyneb.

'A dweud y gwir, rwy newydd gael syniad, Sioned – gan eich bod chi a Charlotte yn ffrindiau mor dda, efallai y gallai eich teulu ddod draw i swper y tro nesaf y bydd eich tad yng Nghaerdydd!'

Pan ddaw'r sudd oren allan o fy nhrwyn, rhaid bod Mrs Thomas o'r farn mod i'n tagu – ac mi rydw i, ond dim ond am fod chwerthin a llyncu yn gyfuniad drwg iawn.

'Wyt ti'n iawn?' gofynna Charlie, a'i llygaid yn pefrio.

'Ydw, iawn,' pesychaf fy ateb, gan guddio fy ngwên y tu ôl i ddarn o bapur cegin y mae hi wedi'i estyn i mi. 'Ond rwy'n meddwl ei bod hi'n bryd i fi fynd adre.'

Daw Charlie a'i mam i'r drws ffrynt i ddweud hwyl fawr; Charlie yn codi'i llaw welw, a Mrs Thomas â'i chrafanc cimwch trawsffurfiol.

'Wela i di fory yn yr ysgol, Sioni!' galwa Charlie.

'Ie, wela i di!' gwaeddaf yn ôl, yn falch o gael bod allan yn y byd go iawn eto.

Y byd go iawn lle mae colomennod yn tewhau wrth fwyta cerrig mân yr heol, lle nad yw gwisgo paent ewinedd porffor yn drosedd, lle mae mamau'n gyffredin ac nid yn estroniaid atgas o'r gofod (na hyd yn oed yn snobs hurt, arwynebol, sydd yr un mor ddrwg).

A gorau oll, lle dw i'n neb ond Sioni – ac yn falch o fod yn blentyn gwyllt, an-wyllt…

Trowch y dudalen
i weld rhagor o
lyfrau ardderchog
gan Rily...

Mae Gari'n casáu cefn gwlad. Mae'n ddiflas yno. Ond mae Gari o dan fygythiad. Efallai fod cefn gwlad yn ei gasáu e hefyd.

Mae Kevin wrth ei fodd â gêmau cyfrifiadur, ond mae'r un ddiweddaraf yn torri'r holl reolau ac yn poeni dim am neb . . .

Mae Hari wedi cael damwain angheuol ond ai i'r nefoedd . . . neu i uffern y bydd e'n mynd?

Tair stori sinistr gan feistr y straeon arswyd.

www.rily.co.uk

Mae cyn-berchnogion Bwthyn Tro i gyd wedi marw mewn amgylchiadau rhyfedd. Cyd-ddigwyddiad yw hyn yn ôl Ben. Ond a yw hynny'n wir?

Mae Harriet yn cael breuddwyd erchyll ond mae hi'n siŵr o ddeffro unrhyw funud, a bydd popeth yn iawn . . . efallai . . .

Dwy stori arswyd gan feistr y storïau iasoer.

Mae Matthew wrth ei fodd gyda'r camera a brynodd yn y sêl cist car, nes iddo ddechrau sylweddoli fod popeth y mae'n tynnu ei lun yn torri . . . neu'n marw.

Mae Henri'n darganfod yn fuan fod gan ei gyfrifiadur ei feddwl ei hun, ac nid yw'r peiriant yn ofni hapchwarae – gyda bywydau pobl!

Dwy stori arswyd gan feistr y storïau iasoer.

www.rily.co.uk

Mae ffôn symudol David o hyd yn canu, ond nid galwadau arferol ydyn nhw. Mae'n ymddangos fod ganddo linell uniongyrchol i'r nefodd . . . neu uffern.

Mae gan Isabel deimlad cas fod baddon Fictorianaidd ei rhieni yn aros amdani. Bydd y dŵr yn goch, ond nid gan sebon.

Dwy stori dywyll gan feistr y storïau iasoer.